Adrienne Muir '86
f1-25
6/86

CLASSIQUES LAROUSSE

Collection fondée en 1933 par FÉLIX GUIRAND
continuée par
LÉON LEJEALLE (1949 à 1968) et JEAN-POL CAPUT (1969 à 1972)
Agrégés des Lettres

RACINE

ATHALIE

tragédie

avec une Notice biographique, une Notice historique et littéraire,
des Notes explicatives, des Documents, des Jugements,
un Questionnaire et des Sujets de devoirs,

par
MICHEL AUTRAND
Ancien élève de l'École normale supérieure,
Agrégé des Lettres

LIBRAIRIE LAROUSSE
17, rue du Montparnasse, 75298 PARIS

RÉSUMÉ CHRONOLOGIQUE DE LA VIE DE RACINE 1639-1699

1639 — **Jean Racine,** fils de Jean Racine, greffier du grenier à sel et procureur, et de Jeanne Sconin, est tenu sur les fonts baptismaux, le 22 décembre, à La Ferté-Milon, par Pierre Sconin, son grand-père maternel, et par Marie des Moulins, sa grand-mère paternelle.

1641 — Mort de la mère de Racine (28 janvier).

1643 — Son père meurt (6 février), ne laissant que des dettes; Racine est alors recueilli par sa grand-mère des Moulins, dont la fille Agnès (née en 1626) devait devenir abbesse de Port-Royal sous le nom de « Mère Agnès de Sainte-Thècle ».

1644-1645 — Le jeune Racine est recueilli à Port-Royal, sur les instances de la Mère Agnès.

1649-1653 — A la mort de son mari, en 1649, Marie des Moulins prend le voile à Port-Royal; Racine est élève aux **Petites Écoles de Port-Royal.**

1654-1655 — Racine est envoyé dans un collège parisien, nommé « collège de Beauvais ».

1655-1658 — Racine est rappelé à l'**école des Granges,** à Port-Royal, où il reçoit une forte **culture grecque,** sous la direction de Lancelot, et **latine,** sous celle de Nicole, tandis que M. Le Maître forme son goût et sa sensibilité littéraires.

1658 — Racine va faire une année de logique au collège d'Harcourt, à Paris.

1659-1661 — Racine, à Paris, retrouve Nicolas Vitard, cousin germain de son père et secrétaire du duc de Luynes, janséniste austère; il rencontre La Fontaine, avec qui il restera lié. Anxieux de plaire et de réussir, il sollicite les conseils poétiques de Chapelain, de Perrault. Il publie, en 1660, *la Nymphe de la Seine,* ode sur le mariage du roi, qui lui vaut une gratification de 100 louis.

1661 — Déçu par le refus de deux pièces de théâtre qu'il vient d'écrire, Racine se rend à **Uzès** (novembre), auprès de son oncle, le chanoine Sconin, vicaire général, dans l'espoir d'obtenir un bénéfice ecclésiastique. Il mène une vie austère, s'applique à la dévotion et s'ennuie.

1663 — N'ayant rien obtenu d'important à Uzès, Racine, déçu, revient à Paris, où il compose une ode *Sur la convalescence du roi,* puis *la Renommée aux Muses,* ode qui lui vaudra, deux ans plus tard, de figurer sur la première liste officielle de gratifications pour 600 livres. **Il se lie avec Boileau;** c'est le début d'une longue et sincère amitié.

***

1664 — *La Thébaïde,* tragédie jouée par Molière au Palais-Royal, sans grand succès, marque les débuts de Racine à la scène (20 juin).

1665 — *Alexandre,* tragédie, obtient un vif succès au Palais-Royal, théâtre de Molière (4 décembre); Racine, quelques jours après, la retire et la donne, le 18, à l'Hôtel de Bourgogne. Racine **se brouille avec Molière** et passe pour un froid ambitieux, « capable de tout ».

1666 — Racine, ripostant aux *Visionnaires* de Nicole par deux âpres *Lettres* — dont une seule est publiée —, rompt avec Port-Royal (janvier). « Racine est maintenant un isolé, entouré de la réprobation générale » (A. Adam).

1667 — Racine fréquente le cercle d'Henriette d'Angleterre; lié à la Du Parc, il fait jouer, le 17 novembre, la tragédie d'***Andromaque.***

1668 — ***Les Plaideurs,*** comédie (novembre).

1669 — ***Britannicus,*** tragédie (13 décembre). Racine s'oppose à Corneille.

© *Librairie Larousse,* 1970.
ISBN 2-03-870139-3

1670 — Racine mène une vie assez agitée. Il fréquente chez Mme de Montespan. Le 21 novembre, sa tragédie ***Bérénice*** est représentée.

1672 — ***Bajazet,*** tragédie (janvier).

1673 — ***Mithridate,*** tragédie (début janvier). Le 12, Racine est reçu à l'Académie française, où cependant le parti des Modernes recueillait la majorité. Il vit dans une confortable aisance.

1674 — ***Iphigénie en Aulide,*** tragédie (18 août). — La même année, Racine est nommé trésorier de France en la généralité des finances de Moulins : il en touche un traitement considérable, est anobli, sa noblesse étant transmissible. Racine, en rivalité avec Pradon, partisan de Corneille, cabale contre lui avec succès par deux fois.

1677 — ***Phèdre,*** tragédie, présentée en même temps qu'une tragédie de Pradon sur le même sujet (1er janvier). Une suite de sonnets, contradictoires et injurieux, circule. Condé apaise difficilement l'affaire.

En même temps, Racine **se réconcilie** officiellement **avec Port-Royal;** sa « conversion » est sincère, certaine, mais sans paraître soudaine : il avait amorcé la réconciliation longtemps auparavant.

Le 30 mai, Racine épouse Catherine de Romanet, riche bourgeoise parisienne, dont il aura sept enfants; Condé, Colbert, le duc de Luynes et plusieurs membres de la famille Lamoignon assistent, comme témoins, à la signature du contrat. En automne de la même année, Racine est nommé **historiographe du roi,** avec Boileau : l'un et l'autre doivent se consacrer tout entiers à leur nouvelle fonction. Il devient également conseiller du roi.

***

1678 — Racine et Boileau accompagnent le roi dans sa campagne contre Gand et Ypres (mars). Racine s'introduit parmi les amis de Mme de Maintenon.

1683 — Racine et Boileau accompagnent le roi en Alsace.

1685 — Racine, directeur de l'Académie française, reçoit Thomas Corneille, succédant à son frère, et fait l'éloge de Pierre Corneille (janvier).

1687 — Racine accompagne le roi au Luxembourg.

1689 — Première représentation d'***Esther,*** pièce sacrée **commandée par Mme de Maintenon** pour les « demoiselles de Saint-Cyr » (26 janvier).

1690 — Racine est nommé « gentilhomme ordinaire du roi » (décembre), charge qui, en 1693, devient héréditaire par faveur insigne.

1691 — Représentation, à Saint-Cyr, d'***Athalie*** (janvier).

1691-1693 — Racine accompagne le roi aux sièges de Mons et de Namur.

1692 — Naissance de Louis Racine, septième et dernier enfant de Racine (2 novembre).

1693 — Racine commence l'*Abrégé de l'histoire de Port-Royal.*

1696 — Racine est nommé conseiller-secrétaire du roi (février).

1697-1698 — Les relations de Racine avec le roi et avec Mme de Maintenon se refroidissent quelque peu, sans que l'on puisse préciser avec certitude la raison et l'importance de cette demi-disgrâce.

1698 (printemps) — Racine tombe malade : les médecins parlent d'une tumeur.

1699 — **Mort** de Racine à Paris (21 avril). Conformément à son vœu, il est **enterré à Port-Royal.**

1711 — Les cendres de Racine, ainsi que celles de Pascal, sont transférées à Saint-Etienne-du-Mont (2 décembre).

Racine avait trente-trois ans de moins que Corneille; dix-huit ans de moins que La Fontaine; dix-sept ans de moins que Molière; treize ans de moins que Mme de Sévigné; douze ans de moins que Bossuet; trois ans de moins que Boileau; six ans de plus que La Bruyère; douze ans de plus que Fénelon; dix-huit ans de plus que Fontenelle et trente-six ans de plus que Saint-Simon.

RACINE ET SON TEMPS

	la vie et l'œuvre de Racine	le mouvement intellectuel et artistique	les événements historiques
1639	Naissance de Jean Racine à La Ferté-Milon (22 décembre).	Fr. Mainard : *Odes*. G. de Scudéry : *Eudoxe*, tragi-comédie. Vélasquez : *Crucifixion*.	Paix de Berwick entre l'Ecosse et l'Angleterre. Révolte des « va-nu-pieds » en Normandie.
1655	Fréquentation de l'école des Granges, à Port-Royal.	Molière : représentation de *l'Étourdi* à Lyon. Pascal se retire à Port-Royal des Champs (janvier).	Négociations avec Cromwell pour obtenir l'alliance anglaise contre l'Espagne.
1658	Départ de Port-Royal ; une année de logique au collège d'Harcourt.	Arrivée de Molière à Paris; il occupe la salle du Petit-Bourbon.	Victoire des Dunes sur les Espagnols. Mort d'Olivier Cromwell.
1660	Ode sur *la Nymphe de la Seine*, pour le mariage de Louis XIV.	Molière : *Sganarelle ou le Cocu imaginaire*. Quinault : *Stratonice* (tragédie). Bossuet prêche le carême aux Minimes.	Mariage de Louis XIV et de Marie-Thérèse d'Autriche. Restauration des Stuarts.
1661	Voyage à Uzès.	Molière : *l'École des maris ; les Fâcheux*. La Fontaine : *Élégie aux nymphes de Vaux*.	Mort de Mazarin (8 mars). Arrestation de Fouquet (5 septembre).
1663	Retour à Paris. Odes: *la Convalescence du roi; la Renommée aux Muses*.	Corneille : *Sophonisbe*. Molière : *la Critique de « l'École des femmes »*.	Invasion de l'Autriche par les Turcs.
1664	*La Thébaïde*.	Corneille : *Othon*. Molière : *le Mariage forcé*. Interdiction du premier *Tartuffe*.	Condamnation de Fouquet après un procès de quatre ans.
1665	*Alexandre*. Brouille avec Molière.	La Fontaine : *Contes et Nouvelles*. Mort du peintre N. Poussin.	Peste de Londres.
1666	Lettres contre Port-Royal.	Corneille : *Agésilas*. Molière : *le Misanthrope; le Médecin malgré lui*. Boileau : *Satires* (I à VI). Furetière : *le Roman bourgeois*. Fondation de l'Académie des sciences.	Alliance franco-hollandaise contre l'Angleterre. Mort d'Anne d'Autriche. Incendie de Londres.
1667	*Andromaque*.	Corneille : *Attila*. Milton : *le Paradis perdu*. Naissance de Swift.	Conquête de la Flandre par les troupes françaises (guerre de Dévolution).

1668	*Les Plaideurs.*	Molière : *Amphitryon ; George Dandin ; l'Avare.* La Fontaine : *Fables* (livres I à VI). Mort du peintre Mignard.	Fin de la guerre de Dévolution : traités de Saint-Germain et d'Aix-la-Chapelle. Annexion de la Flandre.
1669	*Britannicus.*	Molière : représentation du *Tartuffe.* Th. Corneille : *la Mort d'Annibal.* Bossuet : *Oraison funèbre d'Henriette de France.*	
1670	*Bérénice.*	Corneille : *Tite et Bérénice.* Molière : *le Bourgeois gentilhomme.* Édition des *Pensées* de Pascal. Mariotte découvre la loi des gaz.	Mort de Madame. Les états de Hollande nomment Guillaume d'Orange capitaine général.
1672	*Bajazet.*	P. Corneille : *Pulchérie.* Th. Corneille : *Ariane.* Molière : *les Femmes savantes.*	Déclaration de guerre à la Hollande. Passage du Rhin (juin).
1673	*Mithridate.* Réception à l'Académie française.	Mort de Molière. Premier grand opéra de Lully : *Cadmus et Hermione.*	Conquête de la Hollande. Prise de Maestricht (29 juin).
1674	*Iphigénie en Aulide.*	Corneille : *Suréna* (dernière tragédie). Boileau : *Art poétique.* Pradon : *Pyrame et Thisbé*, tragédie. Malebranche : *De la recherche de la vérité.*	Occupation de la Franche-Comté par Louis XIV. Victoires de Turenne à Entzheim sur les Impériaux, et de Condé à Seneffe sur les Hollandais.
1677	*Phèdre.* Nommé historiographe du roi, il renonce au théâtre. Mariage.	Spinoza : *Éthique.* Newton découvre le calcul infinitésimal et Leibniz le calcul différentiel.	Victoires françaises en Flandre (prise de Valenciennes, Cambrai). Début des négociations de Nimègue.
1683	En Alsace avec le roi et les armées.	Quinault : *Phaéton*, opéra. Fontenelle : *Dialogues des morts.* P. Bayle : *Pensées sur la comète.*	Mort de Colbert. Hostilités avec l'Espagne : invasion de la Belgique par Louis XIV. Victoire de J. Sobieski sur les Turcs.
1689	*Esther.*	Fénelon, précepteur du duc de Bourgogne. Bossuet : *Avertissements aux protestants.*	Guerre de la ligue d'Augsbourg : campagne du Palatinat.
1691	*Athalie.*	Campistron : *Tiridate*, tragédie. Dancourt : *la Parisienne*, comédie.	Mort de Louvois. Prise de Nice et invasion du Piémont par les Français.
1699	Mort de Racine (21 avril) à Paris.	Dufresny : *Amusements sérieux et comiques.* Fénelon : *Aventures de Télémaque.*	Condamnation du quiétisme.

BIBLIOGRAPHIE SOMMAIRE

OUVRAGES GÉNÉRAUX SUR RACINE

Thierry Maulnier — *Racine* (Paris, Gallimard, 1935).

Pierre Moreau — *Racine, l'homme et l'œuvre* (Paris, Boivin-Hatier, 1943).

Paul Bénichou — *Morales du Grand Siècle* (Paris, Gallimard, 1948).

Jean Pommier — *Aspects de Racine* (Paris, Nizet, 1954).

Antoine Adam — *Histoire de la littérature française au XVIIe siècle*, tome V (Paris, Domat, 1956).

Raymond Picard — *la Carrière de Jean Racine* (Paris, Gallimard, 1956).

Maurice Descotes — *les Grands Rôles du théâtre de Jean Racine* (Paris, P. U. F., 1957).

René Jasinski — *Vers le vrai Racine* (Paris, A. Colin, 2 vol., 1958).

Philip Butler — *Classicisme et baroque dans l'œuvre de Racine* (Paris, Nizet, 1959).

Roland Barthes — *Sur Racine* (Paris, Éd. du Seuil, 1963).

Jean-Jacques Roubine — *Lectures de Racine* (Paris, A. Colin, 1971).

Alain Niderst — *Racine et la tragédie classique* (Paris, P. U. F., 1978).

Jean-Louis Backès — *Racine* (Paris, Éd. du Seuil, 1981).

SUR « ATHALIE »

Sainte-Beuve — *Port-Royal*, 3e édition, tome VI, chap. X et XI (Paris, 1867).

Georges Mongrédien — *« Athalie » de Racine* (les Grands Événements littéraires) [Paris, Malfère, 1929].

Jean Orcibal — *la Genèse d'« Esther » et d'« Athalie »* (Paris, Vrin, 1950).

Georges Le Roy — *« Athalie »* (coll. « Mises en scène », Éd. du Seuil, Paris, 1952).

Dr. W. T. Bandy — *Index des mots d'« Athalie »* (Paris, Klincksieck, 1955).

ATHALIE
1691

NOTICE

CE QUI SE PASSAIT VERS 1690

■ ***EN POLITIQUE EXTÉRIEURE*** : *Un changement de dynastie vient d'avoir lieu en Angleterre. Le roi Jacques II et son tout jeune fils Jacques-Edouard (né en 1688) se sont réfugiés en France. En 1689, Guillaume d'Orange, couronné sous le nom de Guillaume III, s'est allié aux nombreux ennemis de la France. — Louis XIV est aux prises avec des coalitions européennes qui, finalement, triompheront de son hégémonie (guerre de la ligue d'Augsbourg, 1688 - 1697). Malgré les victoires de Fleurus (1er juillet 1690) et de Staffarde (18 août 1690), la lassitude est générale.*

■ **EN POLITIQUE INTÉRIEURE** : *Louis XIV, qui, en 1684, a épousé en secret Mme de Maintenon, mène la guerre contre les dissidents : il pourchasse jansénistes et protestants. Les solitaires de Port-Royal sont dispersés, tandis que se poursuivent les dragonnades. Avignon est de plus occupé par les troupes royales à cause du conflit avec la papauté au sujet du droit de régale. — Sur le plan financier, on vit d'expédients : le contrôleur général Pontchartrain est impuissant à lutter contre l'accroissement continu des dépenses.*

■ **EN LITTÉRATURE** : *L'événement marquant est la querelle des Anciens et des Modernes, déclenchée par* le Siècle de Louis le Grand, *poème de Perrault (1687), qui publie ensuite les* Parallèles des Anciens et des Modernes. *Bossuet vient de publier, en 1688,* l'Histoire des variations des Églises protestantes *et La Bruyère,* les Caractères. *En 1690, Furetière donne son* Dictionnaire, *Campistron son* Tiridate *et Locke son* Essai sur l'entendement humain. *Deux ans plus tard paraîtra le* Dictionnaire historique et critique *de Bayle.*

■ ***DANS LES SCIENCES ET DANS LA TECHNIQUE*** : *Newton a découvert en 1682 la loi de l'attraction universelle. En 1690, Huygens publie son* Traité de la lumière *et Denis Papin son* Mémoire sur l'emploi de la vapeur d'eau.

REPRÉSENTATIONS D' « ATHALIE »

Commencée vers la fin de l'hiver 1689, aussitôt après le succès d'*Esther*, *Athalie* fut achevée en juin 1690. Racine l'avait composée, comme la précédente, pour les demoiselles de Saint-Cyr, mais elle fut jouée avec beaucoup moins d'éclat : de nombreuses personnes pieuses, dont surtout Godet des Marais, confesseur de Saint-Cyr, évêque de Chartres au début de 1690, et Mme de Maintenon, s'inquiétaient de voir ces jeunes filles modestes s'exposer, dans des représentations brillantes, aux regards de toute la Cour. Les dévots, ameutés par les outrances du curé de Versailles, François Hébert, furent d'ailleurs secondés par les poètes jaloux de Racine, qui, depuis la reprise de ses relations avec Port-Royal, n'était plus, semble-t-il, aussi bien en Cour. Aussi, *Athalie*, nous raconte Dangeau, fut jouée très simplement le 5 janvier 1691 devant le roi, le Dauphin et quelques grands personnages par la seule classe des « bleues », qui conservèrent leurs robes noires de pensionnaires, agrémentées seulement de quelques perles et rubans. Une seconde répétition de ce genre — car il est difficile de parler vraiment de représentation ici — eut lieu le 8 février, devant Mme de Maintenon et quelques dames. C'est vers cette date que la décision fut soudain prise de ne pas donner de représentation officielle devant la Cour. Il y en eut pourtant une, mais toujours sans décors ni costumes, le 22 février, où assistèrent Jacques II et sa femme ainsi que quelques invités, parmi lesquels Fénelon. Ces représentations intimes se renouvelèrent plusieurs fois, mais Racine mourut sans avoir vu une vraie représentation d'*Athalie*, dont le premier succès à la Cour date de 1702, à l'occasion de fêtes organisées pour la jeune duchesse de Bourgogne : elle-même tint le rôle de Josabet. C'est au début de la Régence seulement, le 3 mars 1716, qu'eut lieu la première représentation publique d'*Athalie* à la Comédie-Française. Ce théâtre l'a depuis lors jouée 573 fois. Parmi les mises en scène récentes de la pièce, les plus remarquables ont été celles de Georges Le Roy, de Vera Korène à la Comédie-Française, de Jean Vilar au T. N. P. et de Marcelle Tassencourt.

La musique originale des chœurs d'*Athalie* a été, comme celle d'*Esther*, composée par Jean-Baptiste Moreau. Plus tard, Gossec en 1786, Boïeldieu en 1810 et, à l'époque romantique, Mendelssohn sont les plus célèbres de ceux qui composèrent une musique nouvelle pour cette tragédie.

ANALYSE DE LA PIÈCE

(Les scènes principales sont indiquées entre parenthèses.)

■ *ACTE PREMIER.* **Un complot se prépare.**

Les Hébreux du royaume de Juda ont pour reine Athalie, impie parce qu'elle adore Baal, criminelle parce qu'à la mort de son fils elle a fait massacrer tous ses petits-enfants pour s'assurer le pouvoir. Certains Hébreux, cependant, restés fidèles au vrai Dieu, continuent de fréquenter son temple. C'est ainsi que, pour la fête des prémices, Abner, un des principaux officiers du royaume, vient à l'aube saluer le grand prêtre Joad et déplore, avec l'indifférence des Juifs, les progrès du culte de Baal. Il craint même pour la vie de Joad et l'avenir du temple. Le grand prêtre proteste magnifiquement de sa confiance dans la toute-puissance de Dieu, qui doit, dit-il, se manifester aujourd'hui même **(scène première)**. Resté seul avec sa femme Josabet, Joad lui déclare que le moment d'agir est venu. Elle a autrefois sauvé du massacre ordonné par Athalie Joas, le plus jeune petit-fils de cette dernière, et l'a fait élever dans le temple sous le nom d'Éliacin. C'est lui le roi légitime de Juda : malgré les craintes de sa femme, Joad annonce son intention de révéler ce jour même la vérité aux Hébreux fidèles **(scène II)**. Pendant que vont se poursuivre les préparatifs de la fête, un groupe de jeunes Juives, en attendant d'y participer, chantent la grandeur de Dieu et ses bienfaits pour son peuple.

■ *ACTE II.* **Athalie dans le temple.**

Zacharie, fils de Joad, arrive épouvanté. Athalie vient de pénétrer dans le temple au moment du sacrifice, et la vue d'Éliacin l'a frappée d'étonnement **(scène II)**. De cet acte et de son trouble, Athalie explique les raisons à son fidèle Mathan, le grand prêtre de Baal, ainsi qu'à Abner : un songe lui a fait voir sa mort prochaine et son meurtrier dans la personne d'un jeune garçon, plein de charme et de douceur; malgré elle ensuite, dans son agitation, elle s'est sentie attirée dans le temple des Juifs, où — nouvelle terreur — elle a reconnu, à côté du grand prêtre, l'enfant de son rêve. Pour sortir du doute, elle exige de le connaître **(scène V)**. A toutes ses questions, Éliacin répond avec une sagesse et une simplicité qui vont jusqu'à toucher le cœur de la terrible reine : elle lui offre de l'emmener avec elle, mais, devant la spontanéité de son refus, s'irrite et sort menaçante **(scène VII)**. Le sacrifice interrompu va reprendre dans le sanctuaire, et pendant ce temps le chœur chante le courage d'Éliacin, les malheurs de Sion et le châtiment des impies.

■ *ACTE III.* **Joad refuse de livrer Éliacin.**

Mathan revient, porteur d'un ordre d'Athalie : il envoie les jeunes filles du chœur chercher Josabet. Le prêtre de Baal explique à son confident que, poussée par lui, Athalie a décidé de se faire livrer Éliacin; Joad va refuser, il mourra, et le temple sera détruit : c'est ce que souhaite le renégat Mathan, qui dévoile le fond de son cœur **(scène III)**. A force de questions sur le jeune enfant, il est sur le point d'embarrasser Josabet quand Joad, survenant, le renvoie en le foudroyant de sa malédiction **(scène V)**. Le grand prêtre décide alors de presser les choses : le temple est fermé. Soudain, Joad est saisi par l'Esprit saint et prophétise à la fois de terribles désastres pour le peuple juif et une renaissance glorieuse **(scène VII)**. Pendant qu'on va distribuer des armes aux lévites, le chœur chante son émotion devant la double prédiction qu'il vient d'entendre.

■ *ACTE IV.* **Joas proclamé roi.**

En grande cérémonie sont apportés les objets du sacre. Joas est instruit de sa véritable identité par Joad **(scène II)** et présenté comme le roi de Juda aux chefs des lévites, qui s'engagent par serment à lutter pour lui. Joad fait solennellement promettre au jeune roi de rester fidèle à la loi juive **(scène III).** Mais un lévite vient annoncer qu'Athalie et son armée assiègent le temple, qu'Abner est en prison. Joad, sûr de lui, donne des ordres pour la résistance et invite à la prière le chœur, qui chante alors son épouvante.

■ *ACTE V.* **Athalie vaincue.**

Au chœur, Zacharie vient raconter le couronnement de Joas quand survient Abner, qu'Athalie a fait libérer pour une suprême tentative de conciliation : elle réclame en même temps qu'Éliacin le prétendu trésor de David caché dans le temple. Joad feint de céder devant les supplications d'Abner : qu'Athalie vienne recevoir ce qu'elle demande **(scène II).** Le grand prêtre met au point les derniers préparatifs de sa ruse et, quand Athalie est entrée, lui découvre Joas. Elle est environnée soudain par les lévites armés, abandonnée par Abner et ses gens **(scène V).** Un lévite vient alors annoncer que la proclamation de la royauté de Joas a causé la dispersion de l'armée de la reine et l'égorgement de Mathan. Athalie, impuissante, maudit Joas **(scène VI).** Elle est entraînée hors du temple et mise à mort.

SOURCES ET GENÈSE DE LA PIÈCE

Il semble que Racine commença à s'occuper d'une seconde tragédie sacrée très peu de temps après les brillantes représentations d'*Esther*, que Saint-Cyr avait données pendant le carnaval de 1689. Mme de Sévigné rapporte qu'on parla d'abord d'*Absalon* ou de *Jephté;* ce n'est qu'en mars 1690 qu'il est question de certains chœurs d'*Athalie* : le sujet de la nouvelle pièce est donc arrêté.

Il avait déjà été utilisé deux fois, mais dans des représentations de collège seulement : on avait joué une *Athalia* latine à la distribution des prix du collège de Clermont, en 1658; et, en 1683, une autre tragédie scolaire sur le même sujet, mais en français cette fois, avait été représentée au collège de Tiron, dans le Perche. Ces deux pièces n'avaient pas été publiées, et nous en ignorons le texte. On peut se faire une idée approximative de leur contenu par les résumés que nous en avons, mais rien ne permet de dire que Racine les ait connues.

En fait, le sujet que choisit notre poète tragique au deuxième livre des Rois (chap. XI) et au deuxième livre des Chroniques (chap. XXIII; voir la Documentation thématique) est un sujet neuf. Ces deux récits simples et rudes lui fournissent les personnages et l'armature de sa pièce. De nombreuses lectures viennent naturellement nourrir ce canevas primitif. D'abord et surtout, Racine est imprégné de textes bibliques; il constitue de plus, comme en témoignent ses notes de travail, un recueil de citations en vue de sa tragédie : l'Exode, le Deutéronome et, tout particulièrement, les prophètes (voir la Documentation thématique) sont ainsi utilisés par lui.

Il avait par ailleurs, sans aucun doute, médité la forte page de la sixième époque du *Discours sur l'histoire universelle*, où Bossuet — que Racine cite dans sa Préface — avait montré une Athalie très personnelle et très vivante, enivrée de puissance et avide du pouvoir jusqu'au crime. Toute la philosophie de Bossuet emplissait du reste l'esprit de Racine, pénétré, lui aussi, de l'idée de l'éternelle sagesse, menant au but qu'elle a marqué la nation élue et, avec elle et par elle, le reste du monde.

D'inspiration profondément biblique, *Athalie* porte également la marque d'un esprit qui se souvient d'avoir été nourri au meilleur de l'antiquité grecque. Racine ne le dit-il pas lui-même très clairement, à propos de l'action de sa pièce, dans l'avant-dernier paragraphe de sa Préface? Pour le détail, c'est dans une scène de l'*Ion*, d'Euripide, qu'il a très certainement pris l'idée de l'interrogatoire de Joas par sa grand-mère. Il y a aussi par ailleurs des ressemblances entre *Athalie* et les deux tragédies de Sophocle : *Électre* et *Œdipe roi*. A *Électre*, Racine a pu emprunter l'art tragique des reconnaissances. *Œdipe roi* lui a fourni le premier et illustre exemple d'une pièce où un secret funeste, dévoilé d'abord au public, reste jusqu'à la fin caché pour le héros : le drame est alors fait — pour une part seulement dans *Athalie* — de son aveuglement et de ses angoisses.

Racine, enfin, a bénéficié des efforts, plus ou moins heureux, de ses prédécesseurs français dans la tragédie religieuse. Georges Mongrédien a noté au moins deux emprunts incontestables faits à un certain Nérée, auteur d'une tragédie intitulée *le Triomphe de la Ligue*. Il est fort probable aussi que Racine a songé aux *Juives*, de Garnier, où l'on voyait déjà sur scène un prophète inspiré. Corneille, enfin et surtout, fut pour Racine un maître : il y a une analogie frappante entre les dénouements pathétiques, et qui ont lieu sur la scène même, de *Rodogune* et d'*Athalie*; avec *Polyeucte*, Corneille avait donné l'exemple d'un drame religieux, poème de la grâce, qui, suivant la remarque de Vianey, « définissait la conception chrétienne de la vie ». *Athalie* devait compléter *Polyeucte* « en définissant la conception chrétienne de l'histoire ».

L'ACTION DANS « ATHALIE »

L'action d'*Athalie* présente deux aspects : l'un logique et traditionnel, celui du drame politique dans la tragédie classique, l'autre plein de surprises et de nouveautés, celui du drame religieux qui transforme profondément le cadre habituel de la tragédie.

En apparence d'abord, *Athalie* satisfait remarquablement aux règles de l'époque : au vers 160 se lève sur le temple, où va se dérouler toute l'action, l'aube du jour qui verra la fin d'Athalie. L'action est unique : c'est le complot monté et réussi par le grand prêtre, qui renverse Athalie et la remplace par Joas sur le trône de Juda. Elle se développe avec une simplicité toute rigoureuse à partir de la situation initiale, que nous expose l'acte premier tout entier, et qu'un événement extérieur vient rendre explosive : comme l'arrivée d'Oreste dans *Andromaque*, l'enlèvement de Junie dans *Britannicus*, c'est ici le songe qui pousse la reine à agir, la fait entrer dans le temple et la met, à l'acte II, en présence d'Éliacin. A l'acte III, elle le réclame par l'intermédiaire de Mathan, et Joad le refuse. Furieuse, à l'acte IV, elle assiège le temple, tandis qu'à l'intérieur Joas est proclamé roi. On va le lui livrer, croit-elle, à l'acte V, quand elle entre pour tomber en fait dans le piège du grand prêtre.

Racine reste donc fidèle à sa déclaration de la Préface de *Britannicus* : l'action d'*Athalie*, elle aussi, est « simple, chargée de peu de matière, telle que doit être une action qui se passe en un seul jour, et qui, s'avançant par degrés vers sa fin, n'est soutenue que par les intérêts, les sentiments et les passions des personnages ». Les deux personnages qui mènent l'action sont Athalie et Joad. Réagissant l'une sur l'autre, la fureur inquiète et autoritaire de la reine et, d'autre part, la fermeté et la hâte du grand prêtre à partir du moment où le jeune roi est menacé expliquent à elles seules l'accélération progressive de l'action. La croissance de la terreur, en dépit de l'assurance inébranlable de Joad, est remarquablement graduée par Racine : Athalie, nous dit-on à l'acte premier, jette des *regards furieux* sur le temple (vers 54); elle y vient en personne à l'acte II et en sort avec de lourdes menaces : *Mais nous nous reverrons* (vers 736); on ferme le temple à l'acte suivant. Les Hébreux, qui auraient pu le défendre, se sont tous dispersés, le chœur parle de sacrifice (vers 1098-1118). L'acte IV voit le siège du sanctuaire et la perte du suprême espoir pour le parti du temple : Abner a été jeté en prison (vers 1422-1430). Enfin, à l'acte V, après le retour d'Abner, qui n'est qu'un faux espoir, l'inquiétude augmente encore : d'un instant à l'autre, tout peut être fini (vers 1629 et suivants); et même ensuite, lorsque Athalie est tombée dans le piège, il y a, aux vers 1741 et suivants, un moment d'ultime hésitation, qui vient follement faire renaître toutes les craintes; après quoi, en moins de cent vers, la pièce sera terminée : c'est dire si jusqu'au bout Racine a réussi à ménager dans l'action une progression parfaite et naturelle.

Malgré cette aisance de Racine à couler son action dans le moule de la tragédie du temps, ce qu'il y a de plus remarquable, dans *Athalie*, c'est justement la façon dont, sans heurter le moins du monde, il a su introduire d'importantes nouveautés. D'abord le lieu et le jour de l'action ne sont pas les cadres neutres auxquels lui-même nous avait habitués : le lieu, c'est le temple, c'est-à-dire : *Le seul lieu sur la terre où Dieu veut qu'on l'adore* (vers 1624); c'est la manifestation concrète, toujours présente de cette force divine qui mène l'action et l'univers; le jour, c'est la fête des prémices : « On y célébrait la mémoire de la publication de la loi sur le mont de Sinaï, et on y offrait aussi à Dieu les premiers pains de la nouvelle moisson », dit Racine dans sa Préface. De même, Joas couronné est la promesse d'un renouveau pour le peuple juif, et la chute d'Athalie remet en honneur la loi donnée au Sinaï.

Ensuite, l'action d'*Athalie* est continue, elle fait harmonieusement alterner les récits, les chants et l'action proprement dite, et surtout elle est menée jusqu'à son terme sur la scène même. *Athalie*, en effet, est une pièce sans entracte; Racine le déclare lui-même dans sa Préface : « J'ai aussi essayé d'imiter des anciens cette continuité d'action qui fait que leur théâtre ne demeure jamais vide, les intervalles des actes n'étant marqués que par des hymnes et par des moralités du chœur, qui ont rapport à ce qui se passe. » Effectivement, le poète a pris grand soin de justifier tous les chants du chœur, de les intégrer à l'action, à tel point qu'il a tenu à enchaîner jusque par la rime l'acte V au précédent (v. vers 1510). Il n'y a pas, d'autre part, dans *Athalie*, comme dans les autres pièces de Racine, de longs récits à l'acte premier pour rappeler le passé et, à l'acte V, pour nous informer du dénouement; les récits sont, au contraire, sauf celui du songe, toujours relativement brefs et également répartis dans la pièce. On trouve successivement : à l'acte premier, les tableaux contrastés que font Joad et Abner de la situation du peuple hébreu; au début de l'acte II, le récit du sacrifice interrompu; puis le songe d'Athalie; à l'acte III, la confession de Mathan et les vers annonçant le siège du temple; à l'acte IV, Zacharie décrit le sacre de Joas, et enfin, à l'acte V, la déroute des troupes d'Athalie. Les moments de lyrisme reviennent eux aussi régulièrement avec les chants du chœur, et ils restent très animés; il est remarquable, de ce point de vue, qu'il n'y ait pas dans *Athalie* le plus petit instant de monologue. L'action n'y connaît pas la moindre pause. Et surtout, jusqu'au bout, elle se déroule sous nos yeux : nous voyons se consommer la défaite d'Athalie, et si la mort de la reine nous est épargnée, c'est que le temple ne peut être souillé par elle. Racine retrouve ici la grandeur pathétique de la scène finale de *Rodogune*, où, jusqu'au bout, de la même façon, le destin hésite, avant de se prononcer devant nos regards, contre une vieille reine au profit de son jeune héritier.

Ainsi, par le spectacle offert de cette action continue, régulière et totale, Racine crée une impression de force irrésistible et majestueuse, qui prépare directement à recevoir la leçon religieuse de la pièce : celle de la toute-puissance de Dieu. C'est la prophétie de Joad qui, à la fin de l'acte III, au cœur même de la pièce, la met le mieux en lumière. Morceau de bravoure inutile à l'action, a-t-on dit; centre vivant du drame, au contraire, car, outre le caractère pathétique et bouleversant des visions du grand prêtre, le drame qui se joue s'élargit ainsi aux dimensions mêmes de l'histoire humaine : c'est le mal toujours renaissant, la perpétuelle défaite du bien et l'espoir tenace jusqu'à la naissance d'un Sauveur. L'action particulière d'*Athalie*, ainsi transfigurée, ne ressemble en rien à celle des autres tragédies classiques : elle prend alors pleinement la valeur symbolique que lui voulait Racine.

LES CARACTÈRES

Contrairement à ce qui se passe dans les autres tragédies de Racine, l'étude des caractères dans *Athalie* n'est ni essentielle ni très poussée. Le principal acteur, celui qui est nommé dès le premier vers, est Dieu : c'est sa volonté à lui, en fait, qui, par l'intermédiaire des personnages, conduit toute l'action de ce drame. Il utilise d'ordinaire les hommes tels qu'ils sont — ainsi les gens du temple, qu'il réconforte cependant d'une prophétie au moment opportun —; mais il les transforme aussi s'il le faut — ainsi Mathan et Athalie — en répandant sur eux un *esprit d'imprudence et d'erreur* (vers 293). La logique de l'action est la logique très particulière du caractère de Dieu, et tous les autres personnages pâlissent de ce terrible voisinage.

Du prêtre de Baal, **Mathan,** Racine a fait un renégat et un ambitieux. Un seul sentiment l'anime : perdre et remplacer Joad. C'est ce qu'il explique un peu trop complaisamment sans doute à son confident au début de l'acte III : il faudrait, pour justifier psychologiquement cette scène, supposer que Dieu a commencé d'égarer l'infidèle comme il le fera manifestement plus tard au vers 1041. Mais comme entre-temps Mathan s'est montré parfaitement sûr de lui-même dans son entrevue avec Josabet, il faut bien se ranger à l'opinion de Raymond Picard, qui écrit dans la notice d'*Athalie* (édition de la Pléiade) : il ne faut pas « oublier que la pièce est destinée à un pensionnat de jeunes filles, et que cette profession de foi du méchant s'adresse à un public peu subtil. Il n'est que de se souvenir du personnage simpliste d'Aman ». Il y a effectivement en Mathan non pas peut-être du traître de mélodrame, mais quelque chose des noirs génies de l'univers épique. Il est fait pour être mauvais et pour le dire.

Plus nuancé, le caractère d'**Abner** est aussi plus intéressant. Il représente d'abord la passivité, les doutes, les craintes du peuple juif : et, de ce point de vue, il est par moments proche de Josabet. Mais il a pour lui sa fidélité inébranlable à la race de David : devant le roi Joas, il ne connaît pas un moment d'hésitation, malgré les invectives d'Athalie. Dans le cours même de la pièce, son attitude à l'égard de la reine n'est pas toute de convention : respectueux et déférent, il conserve cependant son franc-parler de vieux capitaine qui a fait ses premières armes sous le *saint roi Josaphat* (vers 78) et qui a commandé les armées du mari d'Athalie (vers 79); ainsi peut-il se permettre avec la reine des moments d'ironie très marquée (vers 450 et 657) qui vite ont dérouté certains commentateurs. Tel quel, dans ses contradictions, le caractère d'Abner, où revit peut-être un lointain souvenir de Burrhus, ne manque pas de relief.

Josabet, elle aussi, représente bien l'âme juive : elle vit continuellement dans la peur, chaque événement nouveau de la pièce est pour elle d'abord un nouveau sujet de crainte, d'où ses maladresses au moment de l'interrogatoire d'Éliacin, par exemple. Mais si *timide* (vers 1077) qu'elle soit, elle reste pleine de force, car elle est pleine de foi; elle a foi en son époux Joad, et en son Dieu : elle a de magnifiques élans de prière (vers 632 et 1669). Enfin, elle est elle-même capable d'action, elle l'a montré en sauvant le petit prince des mains des meurtriers, elle le montre sur scène même, en faisant face à Athalie (vers 707) et surtout en tenant tête à Mathan (acte III, scène IV). Le trait le plus vivant de son caractère reste cependant son amour maternel; curieusement, il n'est pas manifesté envers ses propres enfants, mais envers son neveu : le souvenir d'horreur de la nuit du crime, la conscience religieuse et dynastique de ce que représente Joas nourrissent cet amour, qui, par là, n'est pas sans analogie avec celui d'Andromaque. Il a, comme ce dernier, des accents particulièrement émouvants (acte premier, scène II, et acte IV, scène première) : sans doute correspond-il à quelque chose de très profond dans l'âme même de Racine.

Le personnage de **Salomith** n'a pas retenu l'attention du poète, qui n'a vu en elle qu'un moyen de rattacher plus encore le chœur à l'action par son coryphée. En revanche, la figure de son frère **Zacharie** est pleine de vie. Il met à s'opposer à l'entrée de Mathan, au début de l'acte III, une ardeur toute juvénile, certes, mais qui fait de lui le digne fils de son père. Les comparaisons bibliques qui reviennent dans les récits dont il est chargé nous le montrent tout imbu de l'enseignement qu'il reçoit et prompt à donner ainsi, grâce à lui, des couleurs épiques à la réalité qu'il rencontre. L'ombre du meurtre qui, à partir de la prophétie, couvre désormais sa figure de victime future ne fait que rendre plus bouleversante l'affection qu'il manifeste pour Joas dans les deux derniers actes.

Le jeune **Éliacin - Joas** lui-même, sans être « un perroquet de sacristie », comme l'a écrit Francisque Sarcey, n'a pas, il faut le reconnaître, un caractère très marqué. C'est la pureté, l'innocence même de l'orphelin menacé, l'exacte antithèse de Mathan, si l'on veut. Il fait preuve, cependant, lorsque Athalie l'interroge (vers 665, 682, 685, 688, 701), d'une férocité inconsciente qui peut aller jusqu'à mettre le spectateur mal à l'aise. On respire ici un air de parricide : de la terrible vieille femme, de la grand-mère monstrueuse, et du jeune enfant, son petit-fils, qui sait si instinctivement la blesser et la frapper, lequel des deux fait le plus peur ? Joas se montre enfin, dans les deux derniers actes, d'une tendresse enfantine et touchante pour le grand prêtre et sa famille qui rend pathétiques le trouble causé en lui par la malédiction de la reine et la prière ardente qu'il adresse alors à Dieu (vers 1797-1800).

On a beaucoup vanté le personnage de **Joad.** De fait, c'est une création puissante et difficilement oubliable, mais il faut bien remarquer qu'elle ne présente pas la moindre complexité du point de vue psychologique. Joad est bien, en ce sens, une figure de l'Ancien Testament : c'est un roc. Il se définit tout entier par sa foi inébranlable en Dieu : à peine pourrait-on trouver deux vers dans toute la pièce (vers 1119-1120) où il manifeste quelque amertume, mais c'est pour repartir aussitôt dans un mouvement de foi exaltée qui va le conduire à la prophétie. Dieu, cependant, a bien choisi son ministre : il a, outre sa volonté et sa sérénité, des talents d'orateur, de metteur en scène, d'organisateur qui font merveille dans les trois derniers actes. Il domine parfaitement tous les autres personnages, qui ne sont que des jouets entre ses mains comme lui-même est un jouet entre les mains de Dieu. C'est peut-être parce qu'il a senti le danger de monotonie qui guettait un caractère pareil que Racine l'a, par la prophétie, rendu beaucoup plus émouvant. Il comprend en effet, alors, qu'en faisant Joas roi, il signe l'arrêt de mort de son propre fils : ce n'est pas par hasard qu'il fera ensuite une allusion (vers 1438 et suivants) au sacrifice d'Isaac. Nouvel Abraham désormais, jusqu'à la fin de la pièce, au lieu d'un chef de parti, il devient un personnage tragique profondément émouvant (vers 1416). Même sa férocité sanguinaire, des vers 1360 et suivants, qui aurait pu gêner, devient ainsi, dans la mesure où elle est destinée plus tard à se retourner contre lui, un acte de foi méritoire en ce Dieu si terrible pour ses « saints » eux-mêmes.

C'est par coquetterie que Racine s'excuse, au troisième paragraphe de sa Préface, d'avoir pris pour titre de sa pièce le nom d'**Athalie.** Elle le mérite tout à fait, et Racine le sait bien. Quelle noblesse n'a-t-il pas donnée à celle qui se trouve ici avoir seule à soutenir un combat singulier avec le Dieu vivant!

D'abord si elle a été criminelle, c'est dans le passé; si elle est sanguinaire, c'est en dehors de la scène — des récits nous l'apprennent : quand on la voit, elle n'est qu'une femme âgée et seule, malade et tourmentée par l'annonce de sa mort prochaine. Elle lutte cependant pour rester une reine, et il n'y a pas le moindre soupçon de vanité dans le rappel du règne glorieux que Racine lui a imaginé : s'il y a de l'orgueil, il est justifié. Mais surtout, cette femme a un cœur : elle aime sa mère (vers 502, 717), elle éprouve de la pitié, peut-être même de la tendresse pour la pureté d'un enfant, même si elle s'en sait menacée, même si elle le rencontre hostile à son égard. Enfin, s'il faut revenir sur ce lointain passé de meurtres (vers 709 et suivants), elle n'est pas sans arguments pour justifier ses actes : que de parents n'avait-elle pas à venger contre la race élue par le féroce dieu des Juifs! Sa morale n'est pas élevée, sans doute, mais c'est celle de ce dieu; elle ne lui fait rien d'autre que ce qu'il lui a fait. Et dans une vendetta de la sorte, qui peut dire où est le coupable? Les uns et les autres, tour à tour, font figure de bourreaux et de victimes : c'est la loi. Elle a été bourreau, c'est son tour maintenant d'être victime. Notre pitié, comme celle de Racine, lui est acquise. C'est d'autant plus certain que dans son héroïne, beaucoup plus que d'Agrippine, Racine se souvient de Phèdre : même entrée (acte II, scène III), même poids terrible de l'hérédité chez la fille d'Achab et de Jézabel que chez celle de Minos et de Pasiphaé. Leur malheur à toutes deux aura été de naître dans une famille[1] inexorablement vouée au malheur.

INTÉRÊT DE LA PIÈCE

« Athalie » et Racine.

On a essayé de rattacher *Athalie* à la vie de Racine de plusieurs façons. D'abord, on a vu dans la situation du jeune orphelin Joas, élevé par une tante maternelle et croyante, dans un milieu religieux coupé du monde, quelque chose de la situation même de l'orphelin Jean Racine à Port-Royal, dont la tante maternelle devait devenir abbesse sous le nom de Mère Agnès de Sainte-Thècle. De là à donner à la pièce une signification janséniste en retrouvant, par exemple, sous les traits de Joad, le grand Arnauld, inébranlable malgré les persécutions royales contre le jansénisme, il n'y avait qu'un pas, que beaucoup ont franchi. Ainsi, les personnages d'Abner et de Mathan, selon Antoine Adam, représentent avant tout « deux types d'hommes que la persécution contre Port-Royal avait fait trop souvent apparaître. Le haut magistrat qui, dans son cœur, cache une amitié sincère pour ces justes persécutés, qui les aide autant qu'il dépend de lui, mais qui n'ose pas prendre ouvertement leur défense. Et d'autre part l'homme d'Église, jésuite ou prélat de cour, qui s'acharne contre les vaincus, qui les calomnie, qui persuade le prince de voir en eux des ennemis de sa personne et de l'État, qui, malgré le caractère sacré dont il est revêtu, pousse aux mesures sanglantes et aux sanctions impitoyables ».

On peut cependant, en s'en tenant à l'actualité la plus précise et en insistant sur le problème dynastique[2] plus que sur le problème religieux, trouver un autre sens à la pièce. Complétant et enrichissant un article de J. Chartier dans le *Mercure de France* du 1er juillet 1931, Jean Orcibal, dans la *Genèse d' « Esther » et d' « Athalie »*, constate qu'on parla beaucoup des souverains

1. L'étude du vocabulaire d'*Athalie* confirme cette idée; parmi les mots qui reviennent le plus fréquemment, on trouve : *père* (35 fois), *mère* (22), *fils* (46), *fille* (16), *sœur* (12), *race* (11) et *sang* (35); 2. Voir la fréquence dans la tragédie des mots de *roi* (88 fois) et de *reine* (29).

anglais exilés au moment de la composition d'*Athalie*. Une association étroite et indiscutée s'était, dès l'origine, formée entre eux et Mme de Maintenon : ce serait là le point de départ de la pièce. *Athalie* serait ainsi une sorte de prière en action pour le rétablissement du souverain légitime — le futur Jacques II — sur le trône de ses pères. Mais divers événements (un échec militaire, l'attitude de Louvois, la mort de Seignelay) rendirent impossible l'intervention de Louis XIV et de la flotte française. D'où, selon Jean Orcibal, la discrétion qui entoura la présentation d'*Athalie*. La pièce tombait mal : « Le plus sage était de laisser le malheureux manifeste interventionniste de Racine tomber dans l'oubli, jusqu'au jour où un providentiel renversement des circonstances permettrait de lever les masques. »

En fait, on peut découvrir d'autres allusions dans *Athalie* : Josabet, au milieu des filles du chœur, évoque au vers 302 Mme de Maintenon à Saint-Cyr; la sagesse du jeune Joas a pour garant — c'est Racine lui-même qui le dit dans sa Préface — celle du jeune duc de Bourgogne, petit-fils de Louis XIV. Et les enseignements que dans la scène II de l'acte IV Joad donne au jeune roi sont tout à fait dans la ligne de *la Politique tirée de l'histoire sainte* : Racine salue même nommément dans sa Préface « M. de Meaux », l'ancien précepteur du Dauphin.

En définitive, malgré certaines allusions indéniables, malgré même la force des invectives contre les flatteurs et les tyrans (vers 1384 et suivants), il est difficile de voir dans *Athalie* une intention politique précise et unique. Racine pouvait-il aller jusqu'à critiquer vraiment le grand monarque pour lequel on connaît son amour quelque peu idolâtre? *Athalie* est simplement, comme la plupart des œuvres littéraires, un miroir à facettes multiples, nourrie d'allusions très variées à l'actualité, où les contemporains ont pu saisir toute une série d'images et de reliefs.

« Athalie » et nous.

Ce qui fait pour nous, dans l'œuvre de Racine et dans son siècle, l'originalité d'*Athalie*, c'est sa poésie biblique et, du point de vue proprement théâtral, la nouvelle dimension qu'elle donne à la tragédie.

Jamais la poésie de Racine n'avait été, même dans *Phèdre*, aussi pleine que dans *Athalie*. C'est qu'aux qualités habituelles du poète, l'inspiration biblique est venue donner un nouveau souffle. On peut la retrouver jusque dans le rythme noble et cadencé des périodes systématiquement ponctuées de mots abstraits, de périphrases et d'inversions. Elle est plus sensible encore dans ces rappels continuels du prestigieux passé du peuple hébreu, qui élargissent démesurément dans le temps l'horizon et la signification du drame qui se joue. Mais l'influence de la Bible est surtout sensible au niveau des expressions et des images que Racine emprunte aux textes sacrés et fait revenir régulièrement comme des thèmes obsédants. Il y a d'abord les multiples comparaisons avec le monde végétal (vers 140, 285-286, 357, 780-781, 1137, 1313, 1491) et avec le monde animal (vers 116-117, 506, 642, 1038, 1065, 1255, 1454) : jamais la faune et la flore du poète n'avaient été aussi variées. Il y a aussi les références constantes aux éléments de l'univers : au *ciel* et à la *terre* (vers 120, 122-123, 1139, 1173-1174), à l'*eau* (vers 61, 123, 356-357, 472, 688, 970, 1155, 1173, 1546, 1571, 1680), au *feu* (vers 96, 120, 334, 337, 898, 914, 1152, 1424, 1570, 1579, 1591, 1624) et surtout à la *lumière* (vers 28, 31, 123, 125, 160, 274, 282, 318, 329, 336, 344, 421, 494, 508, 564, 751, 829, 831, 1160, 1170, 1220-1221) : ce dernier thème, qui revêt des formes très diverses, est le plus puissant de tous; c'est la lumière qui exprime la force ou la valeur d'un être : celle du temple (vers 160) comme celle de Joas (vers 274, 751), celle des ennemis de Dieu (vers 494) — mais leur « éclat » n'est alors qu' « emprunté » — comme celle de l'Éternel (vers 328-329, 344) et du Messie tant promis (vers 282). Ce thème trouve son couronnement dans l'équivoque dernière entre l'enfant et le trésor (vers 1583-1584, 1589 et suivants, 1649, 1715). Enfin, Racine a choisi dans les notions et les images bibliques quelques mots clés comme *innocence*, *orphelin* (vers 227, 634, 667, 1408, 1816), *tombeau* (vers 124, 142, 281, 1122, 1330-1331, 1496, 1517, 1765), *bras* ou *main* (vers 76, 101, 233, 244, 557, 635, 725, 840-841, 902, 946, 1010, 1092, 1154, 1366, 1440, 1537, 1557, 1735), *poignard*, *fer* ou *couteau* (vers 244, 557, 898, 914, 1296, 1317, 1491, 1537, 1720, 1782) et *venger*, *vengeance* ou *vengeur* (vers 23, 56, 215, 233, 573, 666, 727, 879, 886, 959, 1335, 1343, 1376, 1378, 1470, 1489, 1579, 1790, 1793, 1816), qui forment comme le cadre spirituel de la pièce : l'*innocence* d'un *orphelin* a été plongée au *tombeau*. Mais de la nuit du tombeau, Dieu peut le retirer. Son *bras*, armé du *fer*, va s'abattre sur les coupables, car il est le dieu des *Vengeances*. La cohérence de cet univers poétique, son originalité chez Racine sont manifestes si on le compare à celui des pièces profanes : c'étaient surtout les yeux et le regard qui, autrefois, signifiaient les sentiments de haine ou d'amour; ce sont les bras et les mains qui les expriment toujours maintenant dans le monde biblique d'*Athalie*. Des noms illustres sans doute ont reproché à Racine d'avoir édulcoré, purifié ou appauvri l'âpre et luxuriante poésie biblique : Racine pouvait-il ne pas être un homme de son siècle? Il avait une façon particulière, c'est certain, de goûter la Bible, qui était celle de toute son époque. L'essentiel, n'est-il pas qu'il l'ait goûtée, et qu'il l'ait fait goûter autour de lui et jusqu'à nous?

Enfin, du point de vue de la mise en scène, *Athalie* n'est comparable à aucune autre tragédie classique. Racine a conçu sa dernière pièce comme un drame magnifique. Il disposait, à Saint-Cyr, d'une figuration plus abondante et plus fervente que jamais troupe de comédiens n'aurait pu lui offrir. Le cadre même de cette maison pieuse a pu l'inspirer. Si bien que la construction de la tragédie s'en ressent; derrière chaque acte, il y a en fait — un peu comme dans les drames de Victor Hugo — une idée de tableau : c'est, à l'acte II, la confrontation entre la vieille reine et le jeune enfant, à l'acte III, la prophétie, à l'acte IV, les serments, à l'acte V, le piège. A ces grandes scènes, grâce au chœur, tout un peuple participe, comme dans la tragédie grecque, et nous participons avec lui, puisqu'il ne s'agit plus ici d'une fable de poète, mais d'une histoire qui concerne tout le public chrétien. Les chants et la musique ainsi que, sur la fin, le bruit des armes et l'éclat de la trompette viennent encore ajouter à l'impression profonde que causent ces spectacles somptueux et pathétiques. Ils ne sont pas gratuits cependant; ils sont, à partir de l'acte III au moins, ordonnés par l'imagination théâtrale de Joad et agissent directement sur l'esprit et le cœur des personnages, impriment au drame une impulsion nouvelle, préparent et précipitent le dénouement. Démentant l'axiome d'Aristote que le « spectacle est affaire de machiniste et non de poète », notre poète dramatique s'est révélé, dans *Athalie*, un machiniste consommé, doublé d'un psychologue habile : qu'il suffise de rappeler le tableau final où, le rideau tombé, se découvrent brusquement, devant la reine de Juda, les retraites cachées du temple et tous ces lévites en armes : Athalie, saisie et bouleversée, est définitivement vaincue par cette terrifiante et incomparable mise en scène.

Jamais, enfin, la tragédie classique n'avait été à ce point soucieuse de faire revivre devant les spectateurs une société défunte dans ses particularités matérielles et spirituelles : *Athalie* marque une étape importante dans l'histoire du théâtre tragique. Comme l'écrit Raymond Picard : « Avec *Athalie*, sans qu'on ait peut-être pu s'en rendre compte lors de sa première représentation, la tragédie prend un nouveau visage; avec sa mise en scène et bientôt sa couleur locale, ses mouvements de foule, ses coups de théâtre, elle devient une « machine » à grand spectacle. Cette pièce, dont l'intention devait être scolaire, rappelle, avec ses chœurs, les fastes de l'opéra; de même que par son goût de l'action extérieure, du mouvement, de la couleur et des grands effets de théâtre, elle laisse prévoir la tragédie de Voltaire et bientôt le drame romantique. »

LEXIQUE DU VOCABULAIRE BIBLIQUE

Figurent dans cet index tous les noms propres ainsi que les noms communs désignant des réalités de la vie religieuse juive qui se rencontrent dans la pièce. Il a été établi à partir du lexique biblique de Mgr A. Vincent (Casterman, 1961). Abréviations employées : Gn. = Genèse, Ex. = Exode, Nb. = Nombres, I R. = premier livre des Rois.

Les illustrations qui accompagnent ce lexique sont tirées de l'*Histoire du Vieux et du Nouveau Testament,* par le sieur de Royaumont (1670), que Racine a consultée.

AARON (vers 33, 443, 1355, 1463, 1466) : frère aîné de Moïse, choisi par Dieu à cause de sa facilité d'élocution pour lui servir de « bouche » (Ex., IV, 16) et de « prophète » (Ex., VII, 1). Il accompagne Moïse sur le mont Sinaï. Son nom est avant tout l'éponyme des « Fils d'Aaron », c'est-à-dire de la classe sacerdotale la plus importante (Ex., XXVIII, 1), car il a été le premier grand prêtre (Ex., XXXIX, 1-31).

ABIRON (vers 1037) ou **ABIRAM** : personnage très peu connu qui participa, avec Dathan, à une conjuration contre Moïse (Nb., XVI, 1-27).

ABRAHAM (désigné, au vers 1439, sous la périphrase de « Père des Juifs »). C'est lui qui, sur l'ordre de Dieu, quitta son pays, Ur, en Chaldée, pour gagner la Palestine. Il est à l'origine du peuple juif : les écrivains de l'Ancien Testament commencent toujours par lui lorsqu'ils rappellent à Israël ses destinées. La fermeté de sa foi est mise en lumière par l'épisode du sacrifice d'Isaac (v. vers 1438, 1444) : Dieu, en définitive, lui conserva son fils.

ACHAB (vers 113, 230, 722, 1086, 1564, 1752, 1773, 1786, 1790) : roi d'Israël vers 873-853, époux de Jézabel, père d'Athalie. Ce fut un monarque remarquable au point de vue politique. Il reconnut les droits des autres dieux à côté du dieu des Juifs. D'où les difficultés qu'il rencontra du côté des prophètes. La conscience religieuse de l'élite se révolta : l'épisode de la vigne de Naboth (voir ce mot) en est la preuve. Achab mourut dans une guerre extérieure qu'il menait contre les Syriens aux côtés du roi de Juda, Josaphat, et tomba, comme l'avait prédit le prophète Michée, près du champ de Naboth.

ACHITOPHEL (vers 1037) : conseiller de David, puis de son fils rebelle Absalon. Après la victoire du roi, il se suicida.

Alliance : voir *Promesse.*

Ancien Testament. On désigne sous ce nom la partie la plus ancienne des textes bibliques, qui comprend le Pentateuque, les livres historiques, les livres poétiques et sapientiaux et les livres prophétiques.

Ange (vers 409, 1494, 1698). Les anges sont des messagers de Dieu don il est souvent question dans la Bible sous des formes très diverses. Une des plus fréquentes est celle de l'ange exterminateur, « l'Ange de Yahvé », qui punit les méchants et les impies.

Arabes (vers 474) : descendants d'Ismaël, fils d'Abraham et de son esclave Agar (Gn., 16). Ils forment des peuples nombreux, voisins des Juifs, et souvent en guerre avec eux, comme les Madianites par exemple.

Arche (vers 103, 1543, 1545, 1595) : coffre qui contenait les deux tables de la loi. Il avait, sur les côtés, des barres pour le déplacer et, au-dessus, deux chérubins aux ailes déployées. La caisse est en bois d'acacia, recouvert d'or pur en dedans et au-dehors (Ex., XXV, 10-22). L'arche avait sa place naturelle dans l'endroit le plus sacré du sanctuaire.

Autel (vers 9, 18, 22, 37, 120, 171, 382, 392, 442, 525, 547, 650, 673, 757, 922, 1190, 1368, 1482, 1550, 1594, 1656, 1712, 1789) : 1° table de pierre, de terre ou de bois sur laquelle ou bien on immole les victimes, ou bien on les offre à Dieu; 2° table d'or placée devant l'arche, où brûlent l'encens et les parfums. C'est cet autel qui est désigné au vers 1594. Les vers 1189-1190 désignent de façon très claire ces deux sortes d'autels.

BAAL (vers 18, 40, 172, 524, 531, 866, 916, 918, 952, 1019, 1766) : nom appliqué par les Hébreux aux nombreuses divinités du pays de Canaan, c'est-à-dire de la Palestine, avant qu'elle soit conquise par les Hébreux, ainsi que de la partie méridionale de la Phénicie.

BENJAMIN (vers 94) : fils cadet de Jacob. La tribu qui porte son nom était l'une des plus petites et constitua avec celle de Juda, après le schisme, le royaume de Juda.

CANAAN : voir *Baal.*

CÉDRON (vers 1061) : vallée sèche qui longe Jérusalem et le temple du côté est et les sépare du mont des Oliviers. C'est en l'utilisant que David s'empara de Jérusalem, ville alors cananéenne. C'est par là que David fuyant devant son fils Absalon gagna le désert d'Engaddi sur la rive ouest de la mer Morte.

Centenier (Préface) : chef militaire juif qui commande cent hommes.

Chandelier (Préface). Il y avait dans le temple un chandelier d'or à sept branches fait par Moïse selon les ordres de Dieu (Ex., XXV, 31-37). Lors de la prise de Jérusalem par les Romains, il fut emporté à Rome et reproduit sur l'un des reliefs qui ornent l'arc de triomphe de Titus.

Phot. B. N.

L'ARCHE D'ALLIANCE

Phot. B. N.

L'AUTEL DES PARFUMS

Chérubin (vers 1594) : être de nature surhumaine, sorte d'ange. Deux statues de chérubins, recouvertes d'or et hautes de plus de quatre mètres, couvraient l'arche de leurs ailes.

Christ (vers 1485). Le mot signifie « oint, consacré par une onction divine » (grec *christos*). Ce mot est, dans la Bible, employé pour désigner les rois, et le Messie tant annoncé par les prophètes, qui devait être Jésus-Christ.

DATHAN (vers 1037) : personnage peu connu qui, avec son frère Abiron, se révolta contre Moïse au sujet du sacerdoce d'Aaron.

DAVID (vers 50, 73, 129, 138, 213, 240, 256, 271, 282, 284, 424, 721, 729, 735, 795, 805, 1020, 1064, 1072, 1157, 1178, 1183, 1246, 1285, 1293, 1358, 1413, 1433, 1437, 1585, 1589, 1590, 1649, 1719, 1727, 1765, 1773, 1788 [39 fois]. Emplois les plus significatifs : 1157, 1285, 1719) : deuxième roi du peuple hébreu et fondateur de la dynastie qui porte son nom. Il a régné vers 1000 à 972 environ. Dieu le choisit pour remplacer Saül, et Samuel lui conféra l'onction royale. C'est lui qui s'empara de Jérusalem et en fit la capitale du peuple juif. Malgré ses fautes, que la Bible ne cache pas, il fut un très grand roi : Jésus lui-même n'a pas dédaigné le titre de « Fils de David », dont il fut salué par les foules.

DIEU. L'importance de celui qui est le personnage principal de la tragédie se manifeste par la fréquence de son nom, ou de ses titres : l'Éternel (vers 1), celui qui met un frein (vers 61), le Seigneur (vers 300), la Sagesse éternelle (vers 1120), le Sauveur (vers 1174). Sous une forme ou une autre le mot revient 165 fois dans la pièce (vers 1, 56, 60-61, 64, 76, 83-84, 97, 105, 112, 126, 157, 167, 226-227, 229, 231, 233, 239 255, 266, 274, 280, 283, 292, 300, 310, 312, 335, 350, 362, 369, 374, 378, 385, 406, 409, 424, 441, 458, 498, 507, 528, 530, 618, 632, 635, 646, 662, 675, 684, 686, 727, 731-732, 743, 759, 769, 771, 777, 787, 788, 796, 806, 810, 814, 819, 827, 847, 906, 918, 923, 956, 1012, 1014, 1025, 1036, 1090, 1093, 1104, 1108, 1111, 1115, 1120, 1130, 1135, 1140, 1141, 1146, 1149, 1151, 1157, 1174, 1176, 1184, 1188, 1195, 1207, 1218, 1226, 1231, 1262, 1269, 1272, 1278, 1280, 1285, 1295, 1317, 1329, 1341, 1343, 1354, 1358-1359, 1368, 1378, 1404, 1406, 1410, 1433, 1436, 1442, 1462, 1467, 1469-1470, 1471, 1472, 1475, 1476, 1480, 1487-1488-1489, 1497, 1499, 1501, 1502, 1511, 1522, 1580, 1601, 1607, 1611, 1624, 1636, 1668, 1669, 1689, 1709, 1726, 1730, 1734-1735, 1739, 1748, 1760, 1764, 1768, 1774, 1797, 1804).

Phot. B. N.

LE CHANDELIER D'OR À SEPT BRANCHES

DOËG (vers 1037) : serviteur de Saül, à qui il dénonça le prêtre Achimélek, pour avoir aidé David dans sa fuite. Doëg assassina Achimélek ainsi que tous les prêtres de Nob et fit exécuter tous les habitants de cette petite ville.

Écritures (Préface). On désigne sous ce mot l'ensemble des textes bibliques.

ÉGYPTE (vers 1088) : pays où plusieurs famines successives obligèrent les Hébreux à se rendre. Ils y devinrent esclaves, mais furent délivrés par Moïse, qui les conduisit vers Canaan (voir *Baal*).

ÉLIE (vers 121, 760) : le plus grand des prophètes d'action dans l'Ancien Testament (I R., 17-21). Il s'opposa en particulier violemment au roi Achab.

ÉLISÉE (vers 124) : prophète, disciple et successeur d'Élie. C'est lui qui sacra Jéhu.

Enceinte sacrée (vers 400) : voir *Temple.*

Encens (vers 172, 674, 929, 1090, 1147) : parfum spécialement consacré à la divinité, qui accompagnait en particulier les pains de proposition.

GÉDÉON (vers 1756) : cinquième juge du peuple juif; il délivra les Hébreux des Bédouins pillards, les Madianites, qui les menaçaient.

Glaive (vers 410, 1193, 1240, 1246, 1248, 1751, 1796) : arme offensive par excellence des Hébreux. Elle symbolise souvent la guerre, le châtiment divin ou même la parole pénétrante de Dieu. Le glaive de feu est l'arme des chérubins et de l'ange exterminateur (Gn., III, 24).

Hébreux (vers 98, 269, 343, 509, 766, 951, 1340). Ce mot désigne les Juifs dans la pièce et la tradition.

Huile sainte (vers 1411 et 1515). L'huile était employée, mélangée avec des aromates, pour les onctions saintes. Les rois, les prophètes, les prêtres recevaient une onction et l'oint de l'Éternel était considéré comme le représentant de Dieu.

Idolâtrie (vers 172, 854). Ce mot ne désigne pas seulement le culte des images, mais aussi le culte des faux dieux, qu'ils soient ou non représentés sous une forme sensible.

ISAAC (Préface) : fils d'Abraham et de Sara, père de Jacob.

ISMAËL (vers 917) : autre fils d'Abraham. (Voir *Arabes.*)

ISRAËL (vers 111, 767, 918, 1087, 1113, 1342, 1363). Le mot désigne tantôt l'ensemble du peuple juif réparti en douze tribus, tantôt, après le schisme, le royaume d'Israël, formé seulement de dix d'entre elles, par opposition au royaume de Juda. **Israélite** (vers 68) est un synonyme de *juif.*

JACOB (vers 1140, 1472, 1476, 1501, 1804) : fils d'Isaac et de Rébecca, il acheta à son frère Esaü son droit d'aînesse. Il lutta avec un ange de Dieu et reçut le nom d'*Israël*, que l'on donnera ensuite aux douze tribus juives issues de ses douze fils. — Le nom de Jacob est aussi donné, par extension, à l'ensemble du peuple hébreu.

JÉHU (vers 82, 151, 480, 1066, 1068, 1071, 1078, 1082-1083-1084, 1086, 1089) : roi d'Israël, usurpateur vers 842-813. Il tua le roi Joram, la mère (Jézabel) et les enfants de ce dernier, ainsi que son neveu Okosias, roi de Juda et fils d'Athalie. C'est Dieu qui l'avait, par l'intermédiaire d'Élisée, choisi pour être le ministre de ses vengeances. Mais il tomba lui aussi, plus tard, dans l'impiété.

JEPHTÉ (vers 1260) : neuvième juge du peuple hébreu, qui sacrifia sa fille en accomplissement d'un vœu fait à Dieu pour le cas où ce dernier lui donnerait la victoire sur les Ammonites, ennemis de son peuple (Juges, XI, 30-39).

JÉRUSALEM (vers 473, 947, 1153, 1159, 1163, 1196, 1810) : capitale du peuple hébreu fondée par David, et, depuis le schisme, capitale du royaume de Juda. Salomon y fit bâtir le premier et l'unique temple dédié à Yahvé.

JÉZABEL (vers 59, 115, 230, 272, 491, 761, 1038, 1074, 1329 1790) : reine d'Israël, épouse d'Achab et mère d'Athalie. Fille du roi de Tyr Ethbahal, elle entraîna son mari dans l'idolâtrie. Après sa mort, elle resta toute-puissante sous ses deux fils Okosias et Joram. Jéhu la fit mettre à mort.

JEZRAËL (vers 229) : ville du royaume d'Israël, plus tard Esdrelon, aujourd'hui Zerîn. Elle était voisine de la capitale Samarie, et proche de la vigne de Naboth.

JORAM (vers 79, 231, 1288) : nom porté par deux personnages différents : *a*) roi d'Israël vers 851-842, deuxième fils d'Achab et de Jézabel : c'est de lui qu'il est en général question dans *Athalie; b*) roi de Juda vers 847-842, époux d'Athalie, dont Racine parle au quatrième paragraphe de sa Préface.

JOSAPHAT (vers 78) : roi de Juda, père de Joram (*b*), vers 869-848. Il se réconcilia avec les rois d'Israël, participa à des guerres communes avec eux et resta fidèle au dieu des Juifs.

JOURDAIN (vers 474, 1546) : fleuve qui sépare le pays hébreu des Gentils (v. note du vers 1165). Après avoir traversé le lac de Tibériade, il se jette dans la mer Morte.

JUDA (vers 94, 1310, 1314) : nom du quatrième fils de Jacob et de la tribu formée par ses descendants. Après le schisme, ce nom devient celui du royaume de Juda, par opposition au royaume d'Israël.

Juge. Ce mot recouvre une institution particulière au peuple hébreu, politique et surtout militaire. Elle devait aboutir à la royauté.

Juif (vers 498, 527, 891, 1334, 1339, 1651, 1723, 1746, 1759, 1768, 1814) : adjectif dérivé du nom de Juda, qui désigne les Hébreux.

LÉVI (vers 299, 948, 1356, 1531) : nom du troisième fils de Jacob et de la tribu formée par ses descendants. Cette tribu était spécialement consacrée au culte religieux. Les *fils de Lévi*, ou *lévites*, sont les fonctionnaires du culte.

Lieu saint (vers 54, 1143) : voir *Temple*.

Livre divin (vers 663, 1242, 1244, 1248, 1370, 1403) : nom donné à l'ensemble des ouvrages qui constituaient l'Écriture sainte.

Loi *(lois, préceptes saints)* [vers 4, 85, 257, 330, 344, 347, 353, 358, 360, 371, 384, 662, 665, 852, 951, 1242, 1276, 1281, 1335, 1381, 1383, 1391, 1409, 1785]. Quand le mot est employé seul, il désigne le Pentateuque. Dans son sens large, il signifie l'enseignement donné par Dieu à son peuple, mais les commandements en restent la partie principale. Ils ont été donnés par Dieu à Moïse pour conduire les hommes au bonheur. Ils constituent la preuve tangible du choix fait par Dieu d'une race d'élection, la race juive, et ils doivent être scrupuleusement observés. Le retour fréquent de ce mot montre que Racine a bien ainsi voulu montrer dans le peuple hébreu le peuple de la Loi.

Madianites (vers 1756) : voir *Arabes* et *Gédéon*. — La défaite irréparable que Gédéon infligea aux Madianites devint le symbole de la destruction totale d'une armée (Isaïe, IX, 3; X, 26).

Messie (Préface). Le mot hébreu signifie « oint », c'est l'équivalent exact de *christ* (voir ce mot).

MOÏSE (vers 403, 891, 1609) : grande figure du peuple hébreu. Miraculeusement sauvé dans son enfance par la fille du pharaon, il fut élevé à la cour d'Égypte. Il obtint du pharaon, à la suite des dix plaies d'Egypte, la permission de ramener les Juifs (voir *Égypte*) en Palestine. Il n'est ni un chef de guerre ni un sacrificateur, mais un orant et un thaumaturge : il fait jaillir de l'eau d'un rocher dans le désert, il fait s'écarter les flots de la mer Rouge devant le peuple hébreu en fuite. Mais il reste surtout celui qui vécut dans une extraordinaire intimité avec Dieu et reçut de lui ses commandements et sa Loi (voir ce mot).

Phot. B. N.

UN LÉVITE ET LE GRAND PRÊTRE

NABOTH (Préface) : Israélite qui vivait à l'époque d'Achab. Le roi s'empara de sa vigne et le fit condamner à mort par faux témoignage pour blasphème. Jéhu le vengea.

NIL (vers 1363, 1609) : grand fleuve d'Égypte où fut exposé Moïse tout enfant et où le recueillit la fille du pharaon.

Nom (vers 20, 317, 666, 809, 1014, 1125). Il s'agit toujours dans ces vers du nom de Dieu. Le connaître, le prononcer, l'invoquer sont des actes religieux de la plus haute importance, car selon la conception des Anciens, le nom est l'équivalent de la personne qu'il désigne.

OKOSIAS (vers 81, 150, 218, 1288, 1311) : nom porté par deux personnages différents : *a*) roi d'Israël, vers 852-851, fils d'Achab et de Jézabel. Il continua les impiétés de son père et mourut la seconde année de son règne sans laisser d'enfant (il n'en est pas question nommément dans la pièce); *b*) roi de Juda, vers 842, fils d'Athalie et père de Joas. Il s'allia avec Joram d'Israël et fut assassiné par Jéhu.

Pains de proposition (Préface et vers 386). Ces pains sans levain offerts à Dieu en reconnaissance de ce qu'il nourrissait son peuple demeuraient toute une semaine en face du Seigneur, sur une table devant l'arche, et ne pouvaient être consommés que par les prêtres.

Parole de Dieu (vers 158) : voir *Promesse.*

Parvis (vers 397, 1101, 1749). L'enceinte sacrée qui était occupée par le domaine du temple comprenait deux parvis principaux. Le parvis extérieur, entouré de portiques, était accessible aux païens. Il était séparé par un cancel de pierre du parvis des Israélites. (Voir *Temple.*)

Pentateuque : nom donné aux cinq premiers livres de l'Ancien Testament : la Genèse, l'Exode, les Nombres, le Lévitique et le Deutéronome. L'ensemble passait pour avoir été composé par Moïse.

Pharaon (vers 403, 1105) : titre donné au roi d'Egypte, un peu comme César à l'empereur de Rome. Le mot n'est pas nom commun chez Racine.

Philistins (vers 475, 1182) : peuple venu de la mer qui donna son nom à la Palestine et tenta, à partir de la côte, de s'emparer de tout Canaan. (Voir *Baal.*) Les Juifs luttèrent longtemps contre eux, notamment sous Samson et David.

Prémices (vers 11, 1188). Chez la plupart des peuples de l'Antiquité, la coutume existait de consacrer à la divinité les premiers fruits de la terre. C'était chez les Juifs une grande fête, que Racine a choisie pour cadre de sa pièce (voir la Préface, lignes 116-124).

Promesses (serments, alliance) [vers 129, 137, 169, 263, 734, 1126, 1212, 1377, 1442, 1804, 1806]. C'est la promesse faite et plusieurs fois renouvelée par Dieu aux Juifs de leur donner le Messie, honneur et bonheur suprême. Tout Israël vit dans l'attente de la réalisation des promesses divines, comme Racine l'a bien marqué.

Sabbat ou **Sabbath** (Préface) : le jour que Dieu a béni et pendant lequel il s'est reposé (Genèse, II, 2-3), jour sacré pour les Juifs et mémorial de l'Alliance. En ce jour de fête, le repos doit être observé sous peine de mort.

Sacrifice (vers 12, 87, 443, 532, 1712) : acte de culte extérieur dans lequel l'homme, en offrant à Dieu une réalité visible, signifie l'acte intérieur de la religion par lequel il s'offre lui-même en hommage à Dieu. La forme la plus importante est l'*holocauste :* sacrifice d'adoration dans lequel la victime tout entière, gros ou petit bétail, est offerte à Dieu et consumée totalement par le feu de l'autel.

SALOMON (vers 130) : fils de David et roi de tout le peuple juif vers 972-932. C'est lui qui construisit le temple, ainsi qu'un palais somptueux. Le règne de Salomon marque à la fois l'apogée et le déclin de la puissance israélite. A sa mort eut lieu le schisme.

SAMARIE (vers 480) : capitale du royaume d'Israël.

SAMUEL (vers 764) : juge (voir ce mot) du peuple hébreu. C'est lui qui, en sacrant Saül, puis David, installa la royauté.

Saül (Préface) : premier roi du peuple hébreu, vers 1020 av. J.-C.

Schisme : désigne, dans notre texte, le schisme qui survint à la mort de Salomon et sépara son royaume en deux, celui de Juda, gouverné par Roboam, et celui d'Israël, gouverné par Jéroboam.

Serments (vers 1126, 1806) : voir *Promesses*.

SIDON (Préface) : avec Tyr, la ville la plus importante de Phénicie.

SINAÏ ou **SINA** (vers 4, 332) : un des sommets de la chaîne de l'Horeb, dans le sud de l'Arabie, sur lequel Dieu donna la loi à Moïse.

SION (vers 798, 801, 1157, 1171, 1216, 1218, 1222, 1223) : nom de la citadelle qui dominait Jérusalem. Sur cette colline fut construit le temple. Le nom devint très vite un symbole pour désigner le sanctuaire et la ville sainte par excellence.

Phot. B. N.

LES PAINS DE PROPOSITION

Tabernacle (vers 765) : forme ancienne du temple. Le mot désigne la tente sacrée qui servait primitivement de demeure à Dieu parmi son peuple.

Temple (vers 1, 7, 41, 54-55, 60, 156, 160, 174, 220, 308, 381, 432, 442, 454, 462, 527, 597, 603, 640, 643, 672, 851, 866, 899, 903, 913, 923, 946, 959, 1098, 1111, 1117, 1127, 1143, 1152, 1157, 1194, 1249, 1322, 1354, 1427, 1509, 1520, 1530, 1560, 1570, 1578, 1596, 1624, 1634, 1640, 1645, 1658, 1682, 1701, 1703, 1711, 1726, 1745, 1767, 1791). Le mot ou la notion reviennent 62 fois dans la pièce. Les emplois les plus significatifs sont ceux des vers 442, 640, 1127, 1157, 1624, 1634. Le temple de Jérusalem, construit par Salomon en 960, devait durer jusqu'à la ruine de la ville en 587. A sa place se trouve aujourd'hui l'esplanade de la mosquée d'Omar. Le fameux rocher sacré qui se trouve au milieu supportait l'autel des sacrifices. Sa forme était celle de nombreux temples orientaux, mais, dans son ensemble, elle rappelait la tente qui avait abrité l'arche d'alliance (voir *Tabernacle*). Le temple était pour les Juifs la matérialisation de la présence de Dieu parmi eux. Racine en décrit les principales parties dans le second paragraphe de sa Préface.

Tiare (vers 28, 924) : coiffure du grand prêtre, sorte de turban sur lequel se posait le diadème.

Tribu (vers 133, 147, 546, 1104, 1336). Le peuple juif était traditionnellement réparti en douze tribus, qui remontaient aux douze fils de Jacob : Ruben, Siméon, Lévi, Juda, Zabulon, Issachar, Dan, Gad, Asher, Nephtali, Joseph et Benjamin.

Trompette (vers 6, 307, 339, 1504, 1684, 1753) : instrument de musique utilisé dans les festivités religieuses du peuple hébreu (voir Nb., 1, 10). C'est elle qui, au jour du jugement, doit marquer le retour de Dieu et la déroute de ses ennemis.

YAHVÉ : le nom propre de Dieu dévoilé à Moïse; il signifie « Je suis celui qui est ».

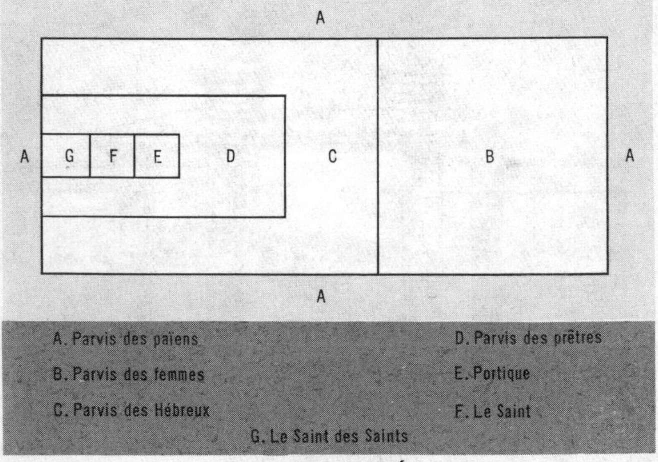

PLAN DU TEMPLE DE JÉRUSALEM

PRÉFACE
(1691)

Tout le monde sait que le royaume de Juda était composé des deux tribus de Juda et de Benjamin, et que les dix autres tribus[1] qui se révoltèrent contre Roboam[2] composaient le royaume d'Israël[3]. Comme les rois de Juda étaient de la maison de David[4], et qu'ils
5 avaient dans leur partage[5] la ville et le temple de Jérusalem[6], tout ce qu'il y[7] avait de prêtres et de lévites[8] se retirèrent[9] auprès d'eux et leur demeurèrent toujours attachés. Car, depuis que le temple de Salomon fut bâti, il n'était plus permis de sacrifier ailleurs; et tous ces autres autels qu'on élevait à Dieu sur des montagnes,
10 appelés pour cette raison dans l'Écriture les hauts lieux, ne lui étaient point agréables[10]. Ainsi le culte légitime ne subsistait plus que dans Juda. Les dix tribus, excepté un très petit nombre de personnes, étaient ou idolâtres ou schismatiques.

Au reste, ces prêtres et ces lévites faisaient eux-mêmes une tribu
15 fort nombreuse[11]. Ils furent partagés en diverses classes pour servir tour à tour dans le temple, d'un jour de sabbath[12] à l'autre. Les prêtres étaient de la famille d'Aaron[13], et il n'y avait que ceux de cette famille lesquels[14] pussent exercer la sacrificature[15]. Les lévites leur étaient subordonnés et avaient soin, entre autres choses, du chant,
20 de la préparation des victimes et de la garde du temple. Ce nom de lévite ne laisse pas d'être donné quelquefois indifféremment à

---

1. Le peuple hébreu était formé de douze tribus portant les noms des douze fils de Jacob (Genèse, XLIX, : Juges, V, et Deutéronome, XXIII). Voir Lexique, page 32; **2.** *Roboam :* fils de Salomon. A la mort de son père, seules les tribus de Juda et de Benjamin le reconnurent pour roi. Les autres se rangèrent sous l'autorité de l'usurpateur Jéroboam, ancien lieutenant de Salomon. Ce schisme, qui eut lieu vers 931, sépara le peuple hébreu en deux royaumes ennemis : celui de Juda et celui d'Israël; **3.** *Israël :* c'est, à cette époque, le nom donné aux tribus du Nord, gouvernées par Jéroboam et ses descendants, par opposition à celui de Juda, qui désigne, du nom de sa tribu principale, le royaume soumis aux successeurs de Roboam; **4.** *La maison de David*, la race de David, roi hébreu, dont on savait qu'un descendant devait être le Messie. (Voir la fin de cette même Préface et le tableau généalogique, page 39); **5.** *Partage :* part d'héritage, lot, portion de la chose partagée; **6.** *Jérusalem :* voir Lexique, page 28; **7.** *Y :* l'Académie a critiqué assez mesquinement cet *y*, qui pouvait faire équivoque et se rapporter à Jérusalem; **8.** *Prêtres et lévites :* Racine éclaire lui-même le sens de ces mots aux lignes 14-25 de cette Préface. C'était la tribu de Lévi qui, à l'origine, fournissait les lévites. Voir Lexique, page 28; **9.** *Se retirèrent*. L'accord du verbe est fait non avec le mot qui est sujet, mais avec l'idée qu'il exprime (syllepse); **10.** *Ne lui étaient point agréables :* l'irritaient violemment. La litote est biblique; **11.** Sous David, il y avait 38 000 lévites; **12.** *Sabbath* ou *sabbat :* voir Lexique, page 30; **13.** *Aaron :* voir Lexique, page 23; **14.** *Lesquels :* qui. Archaïsme que blâme l'Académie dans ses *Sentiments sur « Athalie »; 15.* *La sacrificature :* la fonction de sacrificateur.

tous ceux de la tribu[1]. Ceux qui étaient en semaine avaient, ainsi que le grand prêtre, leur logement dans les portiques ou galeries dont le temple était environné, et qui faisaient partie du temple
25 même. Tout l'édifice s'appelait en général le lieu saint; mais on appelait plus particulièrement de ce nom cette partie du temple intérieur où était[2] le chandelier d'or[3], l'autel des parfums[4] et les tables des pains de proposition[5]; et cette partie était encore moins distinguée du Saint des saints, où était l'arche[6], et où le grand prêtre
30 seul avait droit d'entrer une fois l'année. C'était une tradition assez constante[7] que la montagne sur laquelle le temple fut bâti était la même montagne où Abraham avait autrefois offert en sacrifice son fils Isaac[8].

J'ai cru devoir expliquer ici ces particularités, afin que ceux à
35 qui l'histoire de l'Ancien Testament ne sera pas assez présente n'en[9] soient point arrêtés en lisant cette tragédie. Elle a pour sujet Joas reconnu et mis sur le trône[10], et j'aurais dû, dans les règles, l'intituler *Joas;* mais la plupart du monde n'en ayant entendu parler que sous le nom d'Athalie, je n'ai pas jugé à propos de la leur pré-
40 senter sous un autre titre, puisque d'ailleurs Athalie y joue un personnage si considérable, et que c'est sa mort qui termine la pièce. Voici une partie des principaux événements qui devancèrent[11] cette grande action[12].

Joram, roi de Juda, fils de Josaphat, et le septième roi de la race
45 de David, épousa Athalie, fille d'Achab[13] et de Jézabel[14], qui régnaient en Israël, fameux l'un et l'autre, mais principalement Jézabel, par leurs sanglantes persécutions contre les prophètes[15]. Athalie, non moins impie que sa mère, entraîna bientôt le roi son mari dans l'idolâtrie et fit même construire dans Jérusalem un temple à Baal[16],
50 qui était le dieu du pays de Tyr et de Sidon, où Jézabel avait pris naissance. Joram, après avoir vu périr par les mains des Arabes et des Philistins tous les princes ses enfants, à la réserve d'Okosias[17],

---

1. C'est-à-dire aussi bien aux lévites qu'aux prêtres eux-mêmes; **2.** *Etait :* Accord du verbe avec le sujet le plus proche. L'Académie, dans ses *Sentiments sur « Athalie »*, dit préférer ici *étaient;* **3.** Le *chandelier d'or* à sept branches (Exode, XXV, 31 et suivants). Voir Lexique, page 24; **4.** L'*autel des parfums*, également bâti par Moïse sur les ordres de Dieu (Exode, XXX, 1 et suivants). Voir Lexique, page 24; **5.** *Pains de proposition :* voir Lexique, page 30; **6.** L'*arche* d'alliance : voir Lexique, page 23; **7.** *Constant :* certain, indubitable; **8.** Le sacrifice à Dieu par Abraham, le père des croyants, de son fils unique Isaac est un épisode de l'histoire du peuple hébreu rapporté au chapitre XXII de la Genèse; **9.** *En :* par cela; **10.** Lire dans les Documents, page 150, le récit biblique de ces événements; **11.** *Devancer :* précéder; **12.** Les événements qui vont être résumés par Racine lui ont été fournis par le deuxième livre des Chroniques, aux chapitres XXII et XXIII (voir Documents, page 149); **13.** *Achab :* descendant de Jéroboam. (Voir tableau généalogique, page 39, et Lexique, page 23); **14.** *Jézabel :* voir Lexique, page 28; **15.** Il s'agit d'Élie, d'Élisée et de Michée; **16.** *Baal :* voir Lexique, page 24; **17.** *Okosias :* c'est ainsi que Racine orthographie le nom du fils d'Athalie. Il écrit au contraire A*ch*ab, qu'il devait prononcer avec le son *ch* usuel (a*ch*at, a*ch*eter), de même qu'il voulait, dans *Phèdre*, entendre prononcer *Ach*éron, et non A*k*éron, comme le recommandait Lulli.

mourut lui-même misérablement d'une longue maladie qui lui consuma les entrailles[1]. Sa mort funeste n'empêcha pas Okosias d'imiter
55 son impiété et celle d'Athalie sa mère. Mais ce prince, après avoir régné seulement un an, étant allé rendre visite au roi d'Israël[2], frère d'Athalie, fut enveloppé dans la ruine de la maison d'Achab et tué par l'ordre de Jéhu[3], que Dieu avait fait sacrer par ses prophètes pour régner sur Israël et pour être le ministre[4] de ses vengeances.
60 Jéhu extermina toute la postérité d'Achab et fit jeter par les fenêtres[5] Jézabel, qui, selon la prédiction d'Élie, fut mangée des chiens dans la vigne de ce même Naboth qu'elle avait fait mourir autrefois pour s'emparer de son héritage[6]. Athalie, ayant appris à Jérusalem tous ces massacres, entreprit de son côté d'éteindre entièrement la race
65 royale de David, en faisant mourir tous les enfants d'Okosias, ses petits-fils. Mais heureusement Josabet, sœur d'Okosias et fille de Joram, mais d'une autre mère qu'Athalie, étant arrivée lorsqu'on égorgeait les princes ses neveux, elle[7] trouva moyen de dérober du milieu des morts le petit Joas, encore à la mamelle, et le confia avec
70 sa nourrice au grand prêtre son mari, qui les cacha tous deux dans le temple, où l'enfant fut élevé secrètement jusqu'au jour qu'il fut proclamé roi de Juda. L'*Histoire des Rois* dit que ce fut la septième année d'après; mais le texte grec des *Paralipomènes*[8], que Sévère Sulpice[9] a suivi, dit que ce fut la huitième. C'est ce qui m'a autorisé
75 à donner à ce prince neuf à dix ans, pour le mettre déjà en état de répondre aux questions qu'on lui fait. **(1)**

Je crois ne lui avoir rien fait dire qui soit au-dessus de la portée d'un enfant de cet âge qui a de l'esprit[10] et de la mémoire. Mais, quand j'aurais été un peu au-delà, il faut considérer que c'est ici
80 un enfant extraordinaire, élevé dans le temple par un grand prêtre, qui, le regardant comme l'unique espérance de sa nation, l'avait instruit de bonne heure dans tous les devoirs de la religion et de la

1. *Les entrailles :* voir deuxième livre des Chroniques, chapitre XXI; **2.** *Roi d'Israël :* il s'appelait aussi *Joram*, comme le mari de sa sœur; **3.** *Jéhu :* voir Lexique, page 27; **4.** *Le ministre :* l'exécuteur; voir vers 573; **5.** *Par les fenêtres :* l'expression, dans sa brutalité blâmée par l'Académie, est celle même du récit biblique. (Deuxième livre des Rois, chap. IX, 30 et suivants.) [Voir la Documentation thématique]; **6.** L'histoire de la vigne de Naboth est rapportée au premier livre des Rois, XXI; voir Lexique, page 30; **7.** *Elle.* Ce rappel du sujet du verbe par un pronom personnel était en usage au XVIIe siècle quand le verbe se trouvait retardé dans la phrase; **8.** *Paralipomènes :* nom donné par la bible grecque et la Vulgate aux récits des Chroniques; **9.** *Sévère Sulpice* ou *Sulpice Sévère*, historien ecclésiastique du IVe siècle; **10.** *Esprit :* intelligence.

QUESTIONS

1. Pourquoi Racine met-il d'abord tant de soin et de précision à informer le lecteur du cadre et des événements de sa pièce? — Sur quels points ensuite tient-il à prévenir les éventuelles critiques? Montrez l'importance relative de chacun d'eux.

royauté. Il n'en était pas de même des enfants des Juifs que de la plupart des nôtres. On leur apprenait les saintes lettres[1], non seu-
85 lement dès qu'ils avaient atteint l'usage de la raison, mais, pour me servir de l'expression de saint Paul[2], dès la mamelle. Chaque Juif était obligé d'écrire une fois en sa vie, de sa propre main, le volume de la loi[3] tout entier. Les rois étaient même obligés de l'écrire deux fois[4], et il leur était enjoint de l'avoir continuellement
90 evant les yeux. Je puis dire ici que la France voit en la personne d'un prince de huit ans et demi[5], qui fait aujourd'hui ses plus chères délices, un exemple illustre de ce que peut dans un enfant un heureux naturel aidé d'une excellente éducation, et que si j'avais donné au petit Joas la même vivacité et le même discernement qui brillent
95 dans les reparties[6] de ce jeune prince, on m'aurait accusé avec raison d'avoir péché contre les règles de la vraisemblance.

L'âge de Zacharie, fils du grand prêtre, n'étant point marqué, on peut lui supposer, si l'on veut, deux ou trois ans de plus qu'à Joas. **(2)**

100 J'ai suivi l'explication de plusieurs commentateurs fort habiles[7], qui prouvent, par le texte même de l'Écriture, que tous ces soldats à qui Joïada, ou Joad, comme il est appelé dans Josèphe[8], fit prendre les armes consacrées à Dieu par David étaient autant de prêtres et de lévites, aussi bien que les cinq centeniers[9] qui les comman-
105 daient. En effet, disent ces interprètes, tout devait être saint dans une si sainte action, et aucun profane ne devait y être employé. Il s'y agissait non seulement de conserver le sceptre dans la maison de David, mais encore de conserver à ce grand roi cette suite de descendants dont devait naître le Messie[10] : « Car le Messie, tant
110 de fois promis comme fils d'Abraham, devait être aussi fils de David et de tous les rois de Juda. » De là vient que l'illustre et savant

---

1. *Les saintes lettres :* les saintes écritures, les textes sacrés; **2.** Dans la deuxième épître à Timothée (III, 15); **3.** *La loi :* il s'agit des cinq livres du Pentateuque, qui contenaient la législation de Moïse concernant le culte, le droit administratif, politique et pénal des Hébreux; **4.** Le fait est contesté, mais Racine s'appuie ici sur des ouvrages comme la *Synopsis criticorum.* L'Académie a été très sévère pour Racine sur ce point sans importance; **5.** Le duc de Bourgogne, petit-fils de Louis XIV, né le 6 août 1682. Ses précepteurs étaient le duc de Beauvilliers, Fénelon, l'abbé de Beaumont et l'abbé Fleury. (Voir La Fontaine, *Fables*, XII, 9, « le Loup et le Renard »; **6.** *Repartie :* réponse; **7.** *Habile :* compétent; **8.** *Josèphe :* Flavius Josèphe, historien grec (37?-100?), auteur de *la Guerre juive* et des *Antiquités juives ;* **9.** *Les cinq centeniers.* Les avis restent encore partagés sur ce point. Comme en témoignent ses notes manuscrites, Racine suit ici une fois de plus les conclusions du théologien anglican Lightfoot; **10.** *Le Messie :* l'oint du Seigneur, du mot hébreu *mesha,* « oindre ». Le verbe grec χρίειν, qui signifie « oindre », a, de la même façon, donné *le Christ.*

QUESTIONS

2. Par quels arguments Racine défend-il son personnage de Joas? Que pensez-vous du dernier argument (lignes 90-96)? — Pourquoi, selon vous, Racine préfère-t-il que Zacharie soit plus âgé que Joas?

prélat[1] de qui j'ai emprunté ces paroles appelle Joas le précieux reste de la maison de David. Josèphe en parle dans les mêmes termes[2]; et l'Écriture dit expressément que Dieu n'exterminera pas toute la famille de Joram, voulant conserver à David la lampe
115 qu'il lui avait promise[3]. Or cette lampe, qu'était-ce autre chose que la lumière qui devait être un jour révélée aux nations? (3)

L'histoire ne spécifie point le jour où Joas fut proclamé. Quelques interprètes veulent que ce fût un jour de fête. J'ai choisi celui de la Pentecôte, qui était l'une des trois grandes fêtes[4] des Juifs. On
120 y célébrait la mémoire de la publication de la loi[5] sur le mont de Sinaï[6], et on y offrait aussi à Dieu les premiers pains de la nouvelle moisson : ce qui faisait qu'on la nommait encore la fête des prémices. J'ai songé que ces circonstances me fourniraient quelque variété pour les chants du chœur. (4)

125 Ce chœur est composé de jeunes filles de la tribu de Lévi[7], et je mets à leur tête une fille que je donne pour sœur à Zacharie. C'est elle qui introduit le chœur chez sa mère. Elle chante avec lui, porte la parole pour lui, et fait enfin les fonctions de ce personnage des anciens chœurs qu'on appelait le coryphée. J'ai aussi
130 essayé d'imiter des anciens cette continuité d'action qui fait que leur théâtre ne demeure jamais vide, les intervalles des actes n'étant marqués que par des hymnes et par des moralités[8] du chœur, qui ont rapport à ce qui se passe. (5)

On me trouvera peut-être un peu hardi d'avoir osé mettre sur
135 la scène un prophète inspiré de Dieu, et qui prédit l'avenir. Mais

---

1. « M. de Meaux » (note de Racine), c'est-à-dire Bossuet. Cette phrase est tirée du *Discours sur l'histoire universelle* (II, 4). Le mot qui suit sur Joas se trouve dans le même ouvrage (II, 6); 2. Dans ses *Antiquités juives*, IX, 7; 3. *La lampe qu'il lui avait promise*. L'expression figure au deuxième livre des Rois, VIII, 19; 4. *Les trois grandes fêtes :* c'étaient celle des Azymes (la Pâque), celle des Semaines (la Pentecôte) et celle des Tabernacles; 5. *La loi :* il ne s'agit plus ici du Pentateuque, mais des Dix Commandements de Dieu, ou Décalogue. (Voir page 34, note 6); 6. *Le mont de Sinaï*. Cet emploi de la préposition *de* est blâmé dans les *Sentiments sur « Athalie »* de l'Académie. Par ailleurs, Racine emploie indifféremment dans sa tragédie la forme *Sinai* ou la forme grecque contractée *Sina :* voir Lexique, page 32; 7. *Lévi :* voir Lexique, page 28; 8. *Moralités :* réflexions morales.

QUESTIONS

3. Si Racine a suivi l'opinion de ceux qui ne voulaient pas que les cinq centeniers fussent des profanes, est-ce seulement pour la raison qu'il dit? — Pourquoi a-t-il tenu à citer textuellement Bossuet dans cette Préface?

4. Quelle est l'importance du choix fait par Racine de la fête de la Pentecôte pour situer l'action de sa tragédie?

5. Pourquoi Racine a-t-il fait de Salomith la sœur de Zacharie? — Dégagez les idées de Racine sur l'utilisation du chœur dans cette pièce. — L'imitation des Anciens justifie-t-elle suffisamment la « continuité d'action » observée par Racine dans *Athalie?* N'y a-t-il pas une raison plus profonde que cette raison de technique littéraire?

j'ai eu la précaution de ne mettre dans sa bouche que des expressions tirées des prophètes mêmes. Quoique l'Écriture ne dise pas en termes exprès que Joïada ait eu l'esprit de prophétie, comme elle le dit de son fils[1], elle le représente comme un homme tout plein
140 de l'esprit de Dieu. Et d'ailleurs ne paraît-il pas, par l'Évangile, qu'il a pu prophétiser[2] en qualité de souverain pontife? Je suppose donc qu'il voit en esprit le funeste changement de Joas, qui, après trente ans d'un règne fort pieux, s'abandonna aux mauvais conseils des flatteurs et se souilla du meurtre de Zacharie, fils et successeur
145 de ce grand prêtre. Ce meurtre, commis dans le temple, fut une des principales causes de la colère de Dieu contre les Juifs, et de tous les malheurs qui leur arrivèrent dans la suite. On prétend même que depuis ce jour-là les réponses de Dieu cessèrent entièrement dans le sanctuaire. C'est ce qui m'a donné lieu de faire prédire
150 tout de suite[3] à Joad et la destruction du temple et la ruine de Jérusalem. Mais comme les prophètes joignent d'ordinaire les consolations aux menaces, et que d'ailleurs il s'agit de mettre sur le trône un des ancêtres du Messie, j'ai pris occasion de faire entrevoir la venue de ce consolateur, après lequel tous les anciens justes sou-
155 piraient. Cette scène, qui est une espèce d'épisode[4], amène très naturellement la musique, par la coutume qu'avaient plusieurs prophètes d'entrer dans leurs saints transports au son des instruments : témoin cette troupe de prophètes qui vinrent au-devant de Saül avec des harpes et des lyres[5] qu'on portait devant eux; et
160 témoin Élisée lui-même, qui, étant consulté sur l'avenir par le roi de Juda et par le roi d'Israël, dit, comme fait ici Joad : *Adducite mihi psaltem*[6]. Ajoutez à cela que cette prophétie sert beaucoup à augmenter le trouble dans la pièce, par la consternation et par les différents mouvements[7] où elle jette le chœur et les principaux
165 acteurs. **(6) (7)**

---

1. Dans le deuxième livre des Chroniques, XXIV, 20; **2.** Un passage de l'Évangile de saint Jean (XI, 51) semble faire du don de prophétie un attribut du grand prêtre; **3.** *Tout de suite :* fait d'une suite, d'affilée, d'une seule venue; **4.** *Épisode :* action incidente, liée à l'action principale; **5.** Voir le premier livre de Samuel, X, 5; **6.** *Adducite mihi psaltem :* « Faites-moi venir un joueur de harpe » (deuxième livre des Rois, III, 15); **7.** *Mouvements :* agitations de l'âme.

QUESTIONS

6. Pourquoi Racine a-t-il tenu à consacrer un aussi long développement à la prophétie de Joad? Distinguez ses différentes justifications et explications. Que veut-il dire lorsqu'il qualifie cette scène d' « espèce d'épisode »?

7. SUR L'ENSEMBLE DE LA PRÉFACE. — Quel caractère général donne à cette Préface sa fin brusque sur une remarque de détail?

ORDRE DE SUCCESSION DES ROIS D'ISRAËL ET DE JUDA

DAVID (1010-970 environ)

Salomon (970-931)

Vers 931, schisme du peuple hébreu.

Royaume de Juda *capitale Jérusalem*	Royaume d'Israël *capitale Samarie*
1. Roboam, fils de Salomon (931-913)	*I. Jéroboam, ancien lieutenant de Salomon (931-910)*
	II. Nadab (910-909)
2. Abiyyam (913-911)	*III. Basha, usurpateur (909-886)*
	IV. Ela (886-885)
3. Asa (911-870)	*V. Zimri, usurpateur (7 jours)*
	VI. Omri, usurpateur (885-874)
4. Josaphat (870-848)	*VII. Achab (874-853)* = *Jézabel*
5. Joram (848-841) = 7. Athalie[1] (841-835)	*VIII. Okosias (853-852)* — *IX. Joram (852-841)*
Joad = Josabet — 6. Okosias (841)	*X. Jéhu, usurpateur (841-814)*
8. Joas (835-796)	

(1) Athalie semble avoir été, en réalité, d'après les conclusions des études modernes, la fille d'Omri et donc la sœur d'Achab. A cause de Racine, elle restera cependant toujours la fille d'Achab et de Jézabel.

PERSONNAGES

JOAS	roi de Juda, fils d'Okosias.
ATHALIE	veuve de Joram, aïeule de Joas.
JOAD	autrement JOÏADA, grand prêtre.
JOSABET	tante de Joas, femme du grand prêtre.
ZACHARIE	fils de Joad et de Josabet.
SALOMITH[1]	sœur de Zacharie.
ABNER	l'un des principaux officiers des rois de Juda.

AZARIAS, ISMAËL

ET LES TROIS AUTRES CHEFS DES PRÊTRES ET DES LÉVITES[2].

MATHAN	prêtre apostat, sacrificateur de Baal.
NABAL	confident de Mathan.
AGAR	femme de la suite d'Athalie.

TROUPE DE PRÊTRES ET DE LÉVITES.

SUITE D'ATHALIE.

LA NOURRICE DE JOAS.

CHŒUR DE JEUNES FILLES DE LA TRIBU DE LÉVI[3].

La scène est dans le temple de Jérusalem, dans un vestibule de l'appartement du grand prêtre.

---

1. Le personnage de Salomith est de l'invention de Racine, ainsi que les suivants, à l'exception de Mathan, d'Azarias et d'Ismaël; 2. Ce sont les cinq centeniers dont Racine parle dans sa Préface (voir page 36, note 9); 3. *La tribu de Lévi :* voir page 33, note 8.

ATHALIE

ACTE PREMIER

SCÈNE PREMIÈRE. — JOAD, ABNER.

ABNER

Oui, je viens dans son temple adorer l'Éternel;
Je viens, selon l'usage antique et solennel[1],
Célébrer avec vous la fameuse journée[2]
Où sur le mont Sina[3] la loi[4] nous fut donnée.
5 Que les temps sont changés! Sitôt que de ce jour
La trompette sacrée[5] annonçait le retour,
Du temple, orné partout de festons magnifiques,
Le peuple saint[6] en foule inondait les portiques;
Et tous, devant l'autel avec ordre introduits,
10 De leurs champs dans leurs mains portant les nouveaux [fruits,
Au Dieu de l'univers consacraient ces prémices[7].
Les prêtres ne pouvaient suffire aux sacrifices.
L'audace d'une femme, arrêtant ce concours[8],
En des jours ténébreux a changé ces beaux jours.

---

1. *Solennel :* qui a lieu une fois par an (au sens du latin *solemnis*); 2. *La fameuse journée :* la journée fameuse, célèbre; cette place de l'adjectif est fréquente au XVIIe siècle; 3. *Sina :* voir Lexique, page 31; 4. *La loi :* voir page 37, note 5; 5. *La trompette sacrée :* son utilisation dans les festivités est une coutume religieuse du peuple hébreu. (Voir Nombres, X, 1-10); 6. *Le peuple saint :* le peuple hébreu; 7. *Prémices :* premières productions de la terre; les vers 5 à 11 peuvent être éclairés par les lignes 117-124 de la Préface; 8. *Concours :* affluence.

QUESTIONS

● VERS 1-4. A quel sentiment, sans doute manifesté par Joad, répond l'affirmation initiale d'Abner? Valeur dramatique de ce début abrupt. Comparez-le aux *Oui* qui ouvrent *Iphigénie* et *Andromaque*. — Le lieu de l'action est-il aussi naturellement que rapidement indiqué? — Avec l' « Éternel », le personnage essentiel de l'action est aussitôt désigné : qu'apporte la périphrase? — Pourquoi Racine a-t-il choisi pour son drame le jour anniversaire du don de la loi? — Appréciez l'ampleur oratoire de cette première phrase.

● VERS 5-12. L'effet de contraste de la courte proposition exclamative du vers 5. — Le pittoresque solennel des vers 5-11 : valeur de l'enjambement au début, de l'inversion de *temple* (vers 7), de *avec ordre* (vers 9), de *de leurs champs* (vers 10) et de *au Dieu* (vers 11). — Quel effet produit l'isolement du vers 12?

15 D'adorateurs zélés à peine un petit nombre
Ose des premiers temps nous retracer quelque ombre.
Le reste pour son Dieu montre un oubli fatal;
Ou même, s'empressant aux autels de Baal[1],
Se fait initier à ses honteux mystères[2],
20 Et blasphème le nom qu'ont invoqué leurs[3] pères.
Je tremble qu'Athalie, à ne vous rien cacher,
Vous-même de l'autel vous faisant arracher,
N'achève enfin sur vous ses vengeances funestes[4],
Et d'un respect forcé ne dépouille les restes.

JOAD

25 D'où vous vient aujourd'hui ce noir pressentiment?

ABNER

Pensez-vous être saint et juste impunément[5]?
Dès longtemps[6] elle hait cette fermeté rare
Qui rehausse en Joad l'éclat de la tiare[7] :
Dès longtemps votre amour pour la religion
30 Est traité de révolte et de sédition.
Du mérite éclatant cette reine jalouse
Hait surtout Josabet, votre fidèle épouse.
Si du grand prêtre Aaron[8] Joad est successeur,
De notre dernier roi[9] Josabet est la sœur.

---

1. *Baal :* voir Lexique, page 24; 2. *Mystères :* culte secret; 3. *Leurs.* L'accord est fait avec le sens de pluriel qu'a le nom collectif *le reste*, et non avec sa forme de singulier (syllepse); 4. *Funeste :* tragique, violent; 5. *Impunément :* sans être puni (sens fort); 6. *Dès longtemps :* depuis longtemps; 7. La *tiare* proprement dite était un bonnet des Orientaux, porté en particulier par les rois perses et mèdes. Dans la langue chrétienne, ce mot désigne la coiffure du pape. « Le bonnet du grand prêtre est appelé dans la Vulgate tantôt mitre et tantôt tiare. » (Note de Louis Racine); 8. *Aaron.* Le mot ne compte que pour deux syllabes; sur le personnage, voir Lexique, page 23; 9. Il s'agit du roi de Juda, Okosias. (Voir tableau généalogique, page 39.)

QUESTIONS

● VERS 13-20. Étudiez, dans le vers 14, le chiasme et la répétition du mot *jours.* — Les vers 15, 16 et 17 contiennent chacun une inversion : pourquoi une telle fréquence de cette figure de style depuis le début du texte? — Comment, dans le fond et dans la forme, se crée le contraste entre les deux tableaux : celui des malheurs présents et celui des fastes du passé?

● VERS 21-24. Athalie est enfin nommée : pourquoi ne l'a-t-elle pas été au vers 13? — Rigueur de la composition dans cette tirade d'Abner.

● VERS 25-34. Appréciez le naturel et l'objectivité de cette présentation de Joad et de Josabet. — Les diverses raisons de l'hostilité d'Athalie. — Commentez la répétition de *Dès longtemps* (vers 27 et 29), de *éclat* (vers 28) et de *éclatant* (vers 31), la place du verbe dans le vers 32.

35 Mathan, d'ailleurs, Mathan, ce prêtre sacrilège,
Plus méchant qu'Athalie, à toute heure l'assiège[1];
Mathan, de nos autels infâme déserteur,
Et de toute vertu zélé persécuteur.
C'est peu que, le front ceint d'une mitre[2] étrangère,
40 Ce lévite[3] à Baal prête son ministère;
Ce temple l'importune, et son impiété
Voudrait anéantir le Dieu qu'il a quitté.
Pour vous perdre il n'est point de ressorts qu'il n'invente[4];
Quelquefois il vous plaint, souvent même il vous vante;
45 Il affecte pour vous une fausse douceur,
Et, par là de son fiel colorant[5] la noirceur,
Tantôt à cette reine il vous peint redoutable,
Tantôt, voyant pour l'or sa soif insatiable,
Il lui feint[6] qu'en un lieu que vous seul connaissez
50 Vous cachez des trésors par David amassés.
Enfin, depuis deux jours, la superbe[7] Athalie
Dans un sombre chagrin[8] paraît ensevelie.
Je l'observais hier, et je voyais ses yeux
Lancer sur le lieu saint[9] des regards furieux :
55 Comme si, dans le fond de ce vaste édifice,
Dieu cachait un vengeur[10] armé pour son supplice.
Croyez-moi, plus j'y pense, et moins je puis douter
Que sur vous son courroux ne soit prêt d'éclater[11],
Et que de Jézabel[12] la fille sanguinaire

---

1. *Assiéger :* harceler, obséder; **2.** *Mitre :* voir note du vers 28; **3.** La Bible dit seulement que Mathan était le prêtre de Baal; c'est Racine qui a imaginé qu'il était apostat; **4.** *De ressorts qu'il n'invente :* l'expression, qui peut paraître étrange, est le résultat d'une correction. La première édition portait « ... il n'est point de ressorts qu'il ne joue; Quelquefois il vous plaint, souvent même il vous loue ». « Les amis de Racine, dit son fils, lui représentèrent qu'on ne dit point *jouer*, mais *faire jouer des ressorts* »; **5.** *Colorer :* déguiser sous une apparence favorable; **6.** *Feindre que :* dire faussement que; **7.** *Superbe :* orgueilleux; **8.** *Chagrin :* tristesse profonde, accablement; le mot est très fort au XVIIe siècle; **9.** *Le lieu saint :* pour éclairer cette expression, voir les lignes 25-34 de la Préface; **10.** *Vengeur :* justicier qui punirait les outrages faits à Dieu, qui vengerait Dieu. Dans le *Discours sur l'histoire universelle* (VI), Bossuet a écrit : « Dieu lui nourrissait un vengeur dans l'asile secret de son temple »; **11.** *Prêt d'éclater :* près d'éclater. On ne distinguait pas, au XVIIe siècle, *près de* et *prêt à;* **12.** *Jézabel :* voir Lexique, page 28.

QUESTIONS

● VERS 35-50. Que déteste surtout Abner en Mathan? Pourquoi Racine a-t-il inventé (voir note 3) ce trait? — Quel effet produisent les mots concrets *tiare* (vers 28) et *mitre* (vers 39)? — Pourquoi Racine a-t-il tenu à doubler ainsi la noirceur d'Athalie d'une figure plus noire encore? — L'art des préparations dans la tragédie classique. La cupidité d'Athalie (vers 48-50) : comparez avec les vers 1590-1594 et 1778-1779.

60 Ne vienne attaquer Dieu jusqu'en son sanctuaire.

JOAD

Celui qui met un frein à la fureur des flots[1]
Sait aussi des méchants arrêter les complots.
Soumis avec respect à sa volonté sainte,
Je crains Dieu, cher Abner, et n'ai point d'autre crainte.
65 Cependant je rends grâce au zèle officieux[2]
Qui sur tous mes périls vous fait ouvrir les yeux.
Je vois que l'injustice en secret vous irrite,
Que vous avez encor le cœur israélite.
Le ciel en soit béni! Mais ce secret courroux,
70 Cette oisive vertu, vous en contentez-vous?
La foi qui n'agit point, est-ce une foi sincère?
Huit ans déjà passés[3], une impie étrangère
Du sceptre de David usurpe tous les droits,
Se baigne impunément dans le sang de nos rois,
75 Des enfants de son fils détestable[4] homicide,
Et même contre Dieu lève son bras perfide.
Et vous, l'un des soutiens de ce tremblant État,
Vous, nourri[5] dans les camps du saint roi Josaphat[6],
Qui sous son fils Joram commandiez nos armées,
80 Qui rassurâtes seul nos villes alarmées,
Lorsque d'Okosias le trépas imprévu

---

1. Psaumes, LXXXVIII, 10 : « C'est toi qui domines l'orgueil de la mer; c'est toi qui apaises le soulèvement de ses flots »; **2.** *Officieux :* qui cherche à rendre service; obligeant; **3.** Tournure hardie pour : « huit ans sont déjà passés depuis que ». L'expression a trouvé grâce même aux yeux de l'Académie : « ... le sens est clair, le tour est vif ». Sur le fait lui-même, voir la fin du quatrième paragraphe de la Préface; **4.** *Détestable :* exécrable; **5.** *Nourri :* élevé; **6.** *Josaphat*, *Joram :* voir le tableau généalogique, page 39.

QUESTIONS

● VERS 51-60. Comment Racine intrigue-t-il le spectateur avec les vers 51-52? — L'art dans l'évocation d'une attitude aux vers 53-54 : effet de l'enjambement et place du verbe *lancer*. — La supposition d'Abner aux vers 55-56 est-elle parfaitement vraisemblable? Quel intérêt présente-t-elle pour Racine? — Pourquoi la périphrase du vers 59?

● VERS 61-64. Comment le rythme traduit-il l'assurance et la fermeté de Joad? — D'où vient la longue célébrité du vers 61? — Justifiez l'apostrophe *Cher Abner* et sa place dans le vers ainsi que la répétition *crains* et *crainte* (vers 64).

● VERS 65-76. Commentez la brutalité des vers 69-70. Le tableau qui suit renchérit sur ceux d'Abner : comment? Pourquoi le verbe du vers 74 est-il au présent? Dans ce même vers, comparez l'adverbe à celui du vers 26. — Quelle est l'importance du fait rappelé au vers 75?

Dispersa tout son camp à l'aspect de Jéhu[1] :
« Je crains Dieu, dites-vous; sa vérité me touche! »
Voici comme ce Dieu vous répond par ma bouche :
85 « Du zèle de ma loi[2] que sert de vous parer?
Par de stériles vœux pensez-vous m'honorer?
Quel fruit me revient-il de tous vos sacrifices?
Ai-je besoin du sang des boucs et des génisses[3]?
Le sang de vos rois crie[4] et n'est point écouté.
90 Rompez, rompez tout pacte avec l'impiété;
Du milieu de mon peuple exterminez[5] les crimes,
Et vous viendrez alors m'immoler des victimes. »

ABNER

Hé! que puis-je au milieu de ce peuple abattu?
Benjamin est sans force, et Juda[6] sans vertu[7].
95 Le jour qui de leurs rois vit éteindre la race
Éteignit tout le feu de leur antique audace.
« Dieu même, disent-ils, s'est retiré de nous :
De l'honneur des Hébreux autrefois si jaloux[8],
Il voit sans intérêt[9] leur grandeur terrassée,
100 Et sa miséricorde à la fin s'est lassée.
On ne voit plus pour nous ses redoutables mains
De merveilles[10] sans nombre effrayer les humains;
L'arche sainte est muette et ne rend plus d'oracles[11]. »

---

1. *Jéhu :* voir Lexique, page 27; **2.** *Du zèle de ma loi :* de votre zèle pour ma loi; **3.** Pour tout ce passage, voir la Documentation thématique; **4.** *Le sang de vos rois crie.* L'expression est biblique (Genèse, IV, 10 : « Écoute le sang de ton frère crier vers moi du sol », dit Dieu à Caïn); **5.** *Exterminer :* jeter hors des frontières; **6.** *Juda :* voir Lexique, page 28; **7.** *Vertu :* énergie virile; **8.** Le Dieu *jaloux* est une expression biblique : « Je suis le Seigneur, le Dieu fort et jaloux » (Exode, XX, 5); **9.** *Sans intérêt :* sans s'y intéresser; **10.** *Merveilles :* choses étonnantes, prodiges, miracles; **11.** Il est question de ces oracles de l'arche sainte dans les Nombres, XIII, 89.

QUESTIONS

● VERS 77-92. Montrez l'habileté de Racine à nous renseigner tout naturellement sur la personne d'Abner, et la clarté historique de la succession des noms propres (vers 78-82). — Pourquoi le style direct aux vers 83 et 85? — Quel événement capital de la suite de sa pièce (acte III, scène VII) Racine prépare-t-il par le vers 84? — Montrez, dans les vers 88-89, ce que l'imitation de la Bible apporte au style habituel de la tragédie classique. — Les vers 85-92 sont-ils à comprendre comme un rappel fait à Abner de textes bibliques très connus? (Voir Documents, *Livre d'Isaïe*, p. 152.)

● VERS 93-103. Quels sont les arguments mis en avant par Abner pour justifier sa passivité? Montrez que le style direct à partir du vers 97 répond à celui de Joad dans la tirade précédente.

JOAD DISAGREES

JOAD

Et quel temps fut jamais si fertile en miracles?
105 Quand Dieu par plus d'effets[1] montra-t-il son pouvoir?
Auras-tu donc toujours des yeux pour ne point voir[2],
Peuple ingrat? Quoi! toujours les plus grandes merveilles[3]
Sans ébranler ton cœur frapperont tes oreilles?
Faut-il, Abner, faut-il vous rappeler le cours
110 Des prodiges fameux accomplis en nos jours?
Des tyrans d'Israël[4] les célèbres disgrâces[5],
Et Dieu trouvé fidèle[6] en toutes ses menaces;
L'impie Achab[7] détruit et de son sang trempé
Le champ que par le meurtre il avait usurpé;
115 Près de ce champ fatal Jézabel immolée,
Sous les pieds des chevaux cette reine foulée,
Dans son sang inhumain les chiens désaltérés,
Et de son corps hideux les membres déchirés[8];
Des prophètes menteurs la troupe confondue,
120 Et la flamme du ciel sur l'autel descendue[9];
Élie aux éléments parlant en souverain,
Les cieux par lui fermés et devenus d'airain,
Et la terre trois ans sans pluie et sans rosée[10];
Les morts se ranimant à la voix d'Élisée[11] :

---

1. *Effets :* actes, faits; **2.** Psaumes, CXIII, 5 : « Ils ont une bouche et ne parlent pas, des yeux et ne voient pas »; **3.** *Merveilles :* voir note du vers 102; **4.** *Israël :* voir page 33, note 3; **5.** *Disgrâces :* malheurs très grands; **6.** *Fidèle :* qui tient sa parole; **7.** *Achab :* voir tableau généalogique, page 39, et Lexique, page 23. Sa mort est racontée au chapitre XXII du premier livre des Rois; **8.** Le meurtre de Jézabel est raconté dans le deuxième livre des Rois (IX, 30 et suivants) [voir la Documentation thématique]; **9.** Le premier livre des Rois (XVIII, 20) raconte qu'Élie lança un défi aux prophètes de Baal : il les invita à offrir un holocauste en même temps que lui. Tandis que le feu du ciel venait allumer le bûcher dressé par Élie, les prêtres de Baal invoquaient en vain leur dieu, pour obtenir la même faveur. Élie, ayant convaincu le peuple de leur imposture, les fit massacrer; **10.** Ce miracle d'Élie est rapporté dans le premier livre des Rois (XVII, 1), et rappelé dans l'Évangile de saint Luc (IV, 25) et l'Épître de saint Jacques (V, 17); **11.** *Elisée :* prophète, disciple d'Élie; il s'agit de la résurrection du fils de la Sunamite (deuxième livre des Rois, IV, 18-36).

QUESTIONS

● VERS 104-128. L'indignation de Joad nous fait de son temps un tout autre tableau que celui d'Abner. Appréciez le naturel avec lequel est ainsi brossée la toile de fond du drame. — Qu'est-ce qui, dans les deux vers consacrés à Achab (vers 113-114), rappelle la situation d'Athalie? — Effet des huit participes passés à la rime (vers 113-120), et des inversions dans ce même passage. — Avec l'évocation très concrète des vers 115-118, montrez que Racine prépare en fait la première partie du songe d'Athalie (vers 490 et suivants). — Outre la poésie propre des vers 120-123, ne préparent-ils pas la prophétie de Joad?

125 Reconnaissez, Abner, à ces traits éclatants,
Un Dieu tel aujourd'hui qu'il fut dans tous les temps.
Il sait, quand il lui plaît, faire éclater sa gloire,
Et son peuple est toujours présent à sa mémoire.

ABNER

Mais où sont ces honneurs à David tant promis[1]
130 Et prédits même encore à Salomon son fils[2]?
Hélas! nous espérions que de leur race heureuse
Devait sortir de rois une suite nombreuse;
Que sur toute tribu, sur toute nation,
L'un d'eux établirait sa domination,
135 Ferait cesser partout la discorde et la guerre,
Et verrait à ses pieds tous les rois de la terre[3].

JOAD

Aux promesses du ciel pourquoi renoncez-vous?

ABNER

Ce roi fils de David, où le chercherons-nous?
Le ciel même peut-il réparer les ruines[4]
140 De cet arbre[5] séché jusque dans ses racines?
Athalie étouffa l'enfant même au berceau.
Les morts, après huit ans[6], sortent-ils du tombeau?
Ah! si dans sa fureur[7] elle s'était trompée;
Si du sang de nos rois quelque goutte échappée...

JOAD

145 Hé bien! que feriez-vous?

ABNER

O jour heureux pour moi!

---

1. Dans ses *Notes manuscrites*, Racine appuie ce vers de nombreuses citations tirées en particulier des Psaumes, LXXXVIII, 50 : « Où sont tes anciennes grâces que dans ta fidélité tu avais jurées à David? »; **2.** *Salomon, son fils :* voir Lexique, page 31. *Fils* se prononçait, au XVIIe siècle, fi(ls); **3.** Abner emploie les termes mêmes des Écritures. Il exprime la croyance profonde du peuple hébreu dans la venue d'un Messie. Psaumes, LXXI, 11 : « Que tous les rois se prosternent devant lui, que toutes les nations le servent! »; **4.** *Ruines :* débris, restes; **5.** *Arbre :* l'image revient souvent dans la Bible. (Voir en particulier Isaïe, XI, 1.) [Voir aussi le vers 1491 et l'expression : *arbre de Jessé*]; **6.** *Huit ans :* voir vers 72; **7.** *Fureur :* rage folle, démentielle.

QUESTIONS

● VERS 129-137. Qu'ont d'essentiel les promesses de Dieu? Qu'a de trop matériel l'espérance d'Abner? Quelle réalité historique et biblique essentielle Racine ici met-il en évidence? — Comparez le vers 136 et les vers 1168-1169 : quelle conclusion en tirer?

De quelle ardeur[1] j'irais reconnaître mon roi!
Doutez-vous qu'à ses pieds nos tribus empressées...
Mais pourquoi me flatter[2] de ces vaines pensées?
Déplorable[3] héritier de ces rois triomphants,
150 Okosias restait seul avec ses enfants;
Par les traits de Jéhu[4] je vis percer le père;
Vous avez vu les fils massacrés par la mère.

ATHALIE'S HUSBAND WAS JEWISH

JOAD

Je ne m'explique point; mais, quand l'astre du jour
Aura sur l'horizon fait le tiers de son tour,
155 Lorsque la troisième heure[5] aux prières rappelle,
Retrouvez-vous au temple avec ce même zèle.
Dieu pourra vous montrer, par d'importants bienfaits,
Que sa parole est stable[6] et ne trompe jamais.
Allez : pour ce grand jour il faut que je m'apprête[7],
160 Et du temple déjà l'aube blanchit le faîte.

JOAD - SAYS SOMETHING WILL HAPPEN

ABNER

Quel sera ce bienfait que je ne comprends pas?

---

1. Avec quelle ardeur; 2. *Me flatter :* me leurrer de, me faire illusion avec; 3. *Déplorable :* dont le sort est digne d'être pleuré; 4. *Jéhu :* voir Lexique, page 27; 5. La division du jour en heures ne paraît pas avoir été connue chez les Hébreux avant la captivité de Babylone; la troisième heure serait huit heures du matin, la première étant six heures. Mais cette indication de temps s'accorde difficilement, comme Louis Racine et l'Académie l'ont remarqué, avec celle du vers 154; 6. *Sa parole est stable :* expression biblique. Psaumes, CX, 8 : « Toutes ses ordonnances sont sûres, affermies à tout jamais »; 7. Joad, suppose A. Coquerel dans son *Commentaire biblique sur « Esther » et sur « Athalie »*, ne porte, au premier acte, que le vêtement des simples sacrificateurs : il va aller revêtir les ornements de la souveraine sacrificature et se purifier, avant le sacrifice, par des ablutions.

QUESTIONS

● VERS 138-152. Avec ce doute d'Abner, ce manque de confiance en Dieu, Racine met en lumière une attitude qui sera celle de nombreux personnages dans le cours de la pièce : voir, par exemple, vers 1433; cherchez d'autres exemples. — A quoi tient la poésie du vers 140? — Pour la seconde fois dans la scène, après la supposition des vers 55-56, il est question de Joas sous une forme voilée; montrez que ce souhait des vers 143-144 comporte plus de précision encore. Pourquoi ces allusions? Appréciez leur naturel. — Que signifient les points de suspension à la fin du vers 144? Abner s'arrête-t-il de parler, ou Joad lui coupe-t-il la parole? — Que nous montre, une fois de plus, la comparaison du vers 146 et 1723? — Que reprend le démonstratif *ces* du vers 149? — Pourquoi la répétition du verbe *voir* dans les vers 151-152?

L'illustre[1] Josabet porte vers vous ses pas :
Je sors et vais me joindre à la troupe fidèle
Qu'attire de ce jour la pompe solennelle.

SCÈNE II. — JOAD, JOSABET.

JOAD

165 Les temps sont accomplis, princesse : il faut parler,
Et votre heureux larcin ne se peut plus celer[2].
Des ennemis de Dieu la coupable insolence,
Abusant contre lui de ce profond silence,
Accuse trop longtemps ses promesses d'erreur[3].
170 Que dis-je? Le succès animant leur fureur,
Jusque sur notre autel votre injuste[4] marâtre[5]
Veut offrir à Baal un encens idolâtre.
Montrons ce jeune roi que vos mains ont sauvé,
Sous l'aile du Seigneur[6] dans le temple élevé.

---

1. Josabet est de sang royal. Voir tableau généalogique, page 39; 2. Ne peut plus être caché; 3. *Erreur :* tromperie; pour le sens, voir le vers 129; 4. *Injuste :* dont le pouvoir est contraire au droit, illégitime; 5. *Marâtre :* belle-mère. Voir ce que dit Racine sur Josabet aux lignes 66-67 de sa Préface, page 35; 6. *Sous l'aile du Seigneur :* image biblique. Psaumes, XVI, 8 : « Cache-moi à l'ombre de tes ailes. »

QUESTIONS

● VERS 153-164. L'art chez Racine de piquer l'intérêt et de fixer le cadre temporel de l'action; le cadre spatial étant, lui, rappelé aux vers 156 et 160. — Montrez que le vers 159 annonce de façon discrète les fastes de la mise en scène de l'acte III et surtout de l'acte IV. — Valeur poétique de l'aube au vers 160. — Pourquoi le même mot est-il à la rime au vers 2 et au vers 164?

■ SUR L'ENSEMBLE DE LA SCÈNE PREMIÈRE. — Étudiez le plan de cette scène : comment et où l'initiative du mouvement passe-t-elle d'Abner à Joad?

— Pourquoi cette exposition si détaillée reste-t-elle muette sur le seul personnage de Joas? Montrez le naturel parfait de tous les autres renseignements qu'elle nous donne.

— Cette scène contient de façon plus ou moins claire une annonce de tous les événements importants de la pièce : montrez-le dans le détail.

— Quel est le trait essentiel de la physionomie morale de Joad? Comment s'unissent en lui par ailleurs la véhémence et la maîtrise de soi?

— Montrez que le caractère d'Abner représente celui de l'Israélite ordinaire. N'est-il cependant rien d'autre que cela?

— Quels sont, dans cette scène, les réalités poétiques évoquées et leurs procédés d'expression les plus fréquents?

175 De nos princes hébreux il aura le courage,
Et déjà son esprit[1] a devancé son âge.
Avant que son destin s'explique[2] par ma voix,
Je vais l'offrir au Dieu par qui règnent les rois[3].
Aussitôt assemblant nos lévites, nos prêtres,
180 Je leur déclarerai[4] l'héritier de leurs maîtres.

JOSABET

Sait-il déjà son nom et son noble destin?

JOAD

Il ne répond encor qu'au nom d'Éliacin[5]
Et se croit quelque enfant rejeté par sa mère,
A qui j'ai par pitié daigné servir de père.

JOSABET

185 Hélas! de quel péril je l'avais su tirer!
Dans quel péril encore est-il prêt de[6] rentrer!

JOAD

Quoi! déjà votre foi s'affaiblit et s'étonne[7]?

JOSABET

A vos sages conseils[8], seigneur, je m'abandonne.
Du jour que j'arrachai cet enfant à la mort,
190 Je remis en vos mains tout le soin de son sort;
Même, de mon amour craignant la violence,
Autant que je le puis j'évite sa présence.
De peur qu'en le voyant[9] quelque trouble indiscret[10]
Ne fasse avec mes pleurs échapper mon secret.

---

1. *Esprit :* intelligence; **2.** Soit expliqué, révélé; **3.** Proverbes, VIII, 15 : « C'est par moi que règnent les rois et que les magistrats décrètent la justice »; **4.** *Déclarer :* révéler; **5.** *Éliacin.* C'est Racine qui a imaginé de faire porter ce nom biblique au jeune Joas; **6.** *Prêt de*: près de. (Voir vers 58 et la note); **7.** *S'étonner :* se troubler, hésiter, comme frappé de saisissement; **8.** *Conseils :* décisions, résolutions; **9.** *En le voyant :* quand je le vois. La construction de cette phrase serait aujourd'hui incorrecte, mais dans la langue classique le sujet d'un participe précédé de *en* (gérondif) pouvait ne pas être le même que celui du verbe à mode personnel de la proposition; **10.** *Indiscret :* qui manque de retenue.

QUESTIONS

● VERS 165-180. Dès cette première tirade de la scène, le spectateur apprend que le roi est vivant. Montrez avec quel naturel Racine nous renseigne aussitôt sur son caractère. Commentez le vers 176 à l'aide du cinquième paragraphe de la Préface (lignes 77-96, pages 35-36). — D'après le ton qu'il adopte et les projets qu'il lui révèle, comment Joad considère-t-il et traite-t-il Josabet?

WHO WILL DEFEND KING ALL ON ATHALIE'S SIDE

195 Surtout j'ai cru devoir aux larmes, aux prières,
Consacrer ces trois jours et ces trois nuits entières[1].
Cependant aujourd'hui puis-je vous demander
Quels amis vous avez prêts à vous seconder?
Abner, le brave[2] Abner, viendra-t-il nous défendre?
200 A-t-il près de son roi[3] fait serment de se rendre?

JOAD

Abner, quoiqu'on se pût assurer[4] sur sa foi,
Ne sait pas même encor si nous avons un roi.

JOSABET

Mais à qui de Joas confiez-vous la garde?
Est-ce Obed, est-ce Amnon[5] que cet honneur regarde?
205 De mon père sur eux les bienfaits répandus...

JOAD

A l'injuste[6] Athalie ils se sont tous vendus.

JOSABET

Qui donc opposez-vous contre[7] ses satellites?

JOAD

Ne vous l'ai-je pas dit? nos prêtres, nos lévites.

JOSABET

Je sais que, près de vous en secret assemblé[8],
210 Par vos soins prévoyants leur nombre est redoublé;
Que, pleins d'amour pour vous, d'horreur pour Athalie,
Un serment solennel par avance les lie

---

1. C'est aussi la conduite d'Esther avant la prière au roi (Livre d'Esther, IV, 16); 2. *Brave :* courageux; 3. Fait serment de se rendre près de son roi; 4. Quoiqu'on pût s'assurer, c'est-à-dire avoir confiance dans sa fidélité. L'imparfait du subjonctif exprime ici le conditionnel; 5. *Obed, Amnon :* noms bibliques, personnages imaginaires; 6. *Injuste :* voir vers 171 et la note; 7. *Opposez-vous contre :* cette construction vigoureuse et claire a été critiquée par l'Académie; 8. L'Académie a également blâmé cette construction : *leur nombre assemblé.* Le sens est pourtant très clair si le tour est hardi : « les lévites assemblés dont le nombre ».

QUESTIONS

● VERS 181-200. Montrez comment le vers 192 rend naturelle la question du vers 181. — Comment, dès ses premiers mots (vers 185-186), l'essentiel du caractère de Josabet est-il montré par Racine? Sa seconde réaction (vers 188) est-elle plus celle de l'épouse ou celle de la croyante? — Rapprochez la conduite de Josabet (vers 191-194) de celle d'Andromaque avec son fils. — N'y a-t-il que de la déférence dans le ton du vers 197? — Pourquoi est-il essentiel pour la suite de l'action qu'Abner soit le premier nommé, dans les appuis possibles du jeune roi?

JOSABET SCEPTICAL – NEED AN ARMY NOT JUST PRIESTS + LEVITES.

A ce fils de David qu'on leur doit révéler.
Mais, quelque noble ardeur dont[1] ils puissent brûler,
215 Peuvent-ils de leur roi venger seuls la querelle[2]?
Pour un si grand ouvrage est-ce assez de leur zèle?
Doutez-vous qu'Athalie, au premier bruit semé
Qu'un fils d'Okosias est ici renfermé,
De ses fiers[3] étrangers assemblant les cohortes[4],
220 N'environne le temple et n'en brise les portes?
Suffira-t-il contre eux de vos ministres saints,
Qui, levant au Seigneur leurs innocentes mains,
Ne savent que gémir et prier pour nos crimes[5],
Et n'ont jamais versé que le sang des victimes?
225 Peut-être dans leurs bras Joas percé de coups...

JOAD

Et comptez-vous pour rien Dieu, qui combat pour nous[6]?
Dieu, qui de l'orphelin protège l'innocence[7]
Et fait dans la faiblesse éclater sa puissance[8];
Dieu qui hait les tyrans et qui dans Jezraël[9]
230 Jura d'exterminer Achab et Jézabel;
Dieu, qui, frappant Joram, le mari de leur fille,
A jusque sur son fils poursuivi leur famille;

---

1. *Quelque noble ardeur dont :* de quelque noble ardeur dont; 2. *La querelle :* la cause; 3. *Fier :* farouche, sauvage; 4. La Bible ne parle pas de ces Tyriens qu'Athalie aurait gardés près d'elle. Le mot *cohortes* a plutôt une résonance romaine, mais il a ici le sens général de « troupes armées » (voir aussi vers 1100); 5. *Crimes :* ici, infractions à la loi divine; 6. Exode, XIV, 14 : « Moïse dit au peuple : « Yahvé combattra pour vous et vous, vous garderez le silence! »; 7. Deutéronome, X, 18 : « Dieu qui fait droit à l'orphelin et à la veuve. » Psaumes, LXVIII, 6 : « Le père des orphelins, le justicier des veuves, c'est Elohim »; 8. Cette antithèse est biblique. Saint Paul : *Sufficit tibi gratia mea : nam virtus in infirmitate perficitur.* « Ma grâce te suffit, dit Dieu, car c'est dans la faiblesse de l'homme que se manifeste la perfection de ma puissance »; 9. *Jezraël :* voir Lexique, page 28.

QUESTIONS

● VERS 201-213. Montrez avec quel naturel Racine nous renseigne sur l'état des forces de Joad et comment il s'attache, dès maintenant (vers 210-212), à rendre vraisemblable son dénouement.

● VERS 214-225. Les craintes de Josabet sont-elles déraisonnables? — Trois vers (220, 222 et 225) imposent des images concrètes : quel sentiment est ainsi exprimé chez Josabet? — L'idée contenue dans le second hémistiche du vers 223 se retrouve-t-elle quelque part dans les propos de Joad? Montrez qu'elle caractérise bien la religion de Josabet. — Pourquoi Joad interrompt-il son épouse au vers 225?

Dieu, dont le bras vengeur, pour un temps suspendu,
Sur cette race impie est toujours étendu[1]?

JOSABET

235 Et c'est sur tous ces rois sa justice sévère
Que je crains pour le fils de mon malheureux frère.
Qui sait si cet enfant, par leur crime entraîné,
Avec eux en naissant ne fut pas condamné?
Si Dieu, le séparant d'une odieuse race,
240 En faveur de David voudra lui faire grâce?
Hélas! l'état horrible où le ciel me l'offrit
Revient à tout moment effrayer mon esprit.
De princes égorgés la chambre était remplie;
Un poignard à la main, l'implacable Athalie
245 Au carnage animait ses barbares soldats
Et poursuivait le cours de ses assassinats.
Joas, laissé pour mort, frappa soudain ma vue.
Je me figure encor sa nourrice éperdue,
Qui devant les bourreaux s'était jetée en vain,
250 Et, faible[2], le tenait renversé sur son sein.
Je le pris tout sanglant. En baignant son visage,
Mes pleurs du sentiment lui rendirent l'usage[3];
Et, soit frayeur encore, ou[4] pour me caresser,
De ses bras innocents[5] je me sentis presser.
255 Grand Dieu! que mon amour ne lui soit point funeste!
Du fidèle David c'est le précieux reste[6].
Nourri[7] dans ta maison, en l'amour de ta loi,
Il ne connaît encor d'autre père que toi.
Sur le point d'attaquer une reine homicide,
260 A l'aspect du péril si ma foi s'intimide,
Si la chair et le sang[8], se troublant aujourd'hui,

1. Isaïe, XIV, 27 : « Quand Yahvé des armées forme un projet, qui le ruinera? Et sa main étendue, qui la détournera? »; 2. *Faible* peut se rapporter à la nourrice ou à Joas. On peut, malgré les vers suivants, hésiter. L'Académie a critiqué cette équivoque; 3. Le firent revenir à lui; 4. *Soit... ou :* soit... soit, rupture de construction très claire et assez fréquente au XVIIe siècle; 5. *De ses bras innocents :* sans doute un souvenir de l'*Ion* d'Euripide (vers 961); 6. Voir les lignes 100-116 de la Préface et la note 1 de la page 37; 7. *Nourri :* voir vers 78 et la note; 8. *La chair et le sang :* cette expression, qui sert à désigner tout ce qu'il y a de matériel dans la nature humaine, revient souvent dans le Nouveau Testament. Voir, par exemple, Évangile de saint Matthieu, XVI, 17.

QUESTIONS

● VERS 226-234. Quels sont les trois arguments par lesquels Joad essaie de redonner confiance à Josabet? — Comparez pour leur longueur et leur précision les rappels du passé des vers 229-232 avec ceux de la première scène : que cherche Racine par ces répétitions?

— Ont trop de part aux pleurs que je répands pour lui,
Conserve l'héritier de tes saintes promesses,
Et ne punis que moi de toutes mes faiblesses.

JOAD

265 Vos larmes, Josabet, n'ont rien de criminel :
Mais Dieu veut qu'on espère en son soin[1] paternel.
Il ne recherche point, aveugle en sa colère,
Sur le fils qui le craint l'impiété du père[2].
Tout ce qui reste encor de fidèles Hébreux
270 Lui viendront aujourd'hui renouveler[3] leurs vœux.
Autant que de David la race est respectée,
Autant de Jézabel la fille est détestée[4].
Joas les touchera par sa noble pudeur,
Où semble de son sang reluire la splendeur;
275 Et Dieu, par sa voix même appuyant notre exemple,
De plus près à leur cœur parlera dans son temple.
Deux infidèles rois[5] tour à tour l'ont bravé :
Il faut que sur le trône un roi soit élevé,
Qui se souvienne un jour qu'au rang de ses ancêtres
280 Dieu l'a fait remonter par la main de ses prêtres,
L'a tiré par leur main de l'oubli du tombeau[6],

---

1. *Soin :* sollicitude; **2.** Il ne poursuit point. Pour ce passage, voir Ézéchiel, XVIII, 20 : « Le fils ne portera pas de responsabilité dans la faute de son père, et le père ne portera pas de responsabilité dans la faute de son fils »; **3.** Viendront lui renouveler. Pour la syllepse, voir page 33, note 9; **4.** *Détestée :* maudite (voir vers 75 et la note); **5.** Il s'agit de Joram et d'Okosias; **6.** *L'oubli du tombeau :* L'expression est biblique : Psaumes, XXX, 13 : « Je suis oublié des cœurs, tel un mort. » Elle est ici parfaitement bien adaptée à la situation de Joas.

QUESTIONS

● VERS 235-264. Étudiez jusqu'à la prière finale la progression de cette tirade. — Qu'exprime le *Et* initial (vers 235), dont la véhémence répond à celui du vers 226? — A partir des vers 238-239, dégagez, en rappelant Oreste et Phèdre, l'importance de la notion de race, et de race maudite, dans la tragédie. — La vision du meurtre de ses neveux (vers 241-254) est une obsession pour Josabet : n'y avait-il pas déjà quelque chose de semblable chez Andromaque, uni également à l'amour maternel (*Andromaque*, vers 997-1005)? — Les éléments picturaux dans le tableau des vers 243-246. — Les effets obtenus : au vers 250, par la place de l'apposition; au vers 251, par la proposition indépendante qui forme le premier hémistiche; au vers 253, par l'anacoluthe *(Soit... ou)*. — Pourquoi, après toutes ces sensations visuelles, le choix d'une sensation tactile (vers 254) pour clore le tableau? — Montrez, à l'aide des vers 256-258, combien la foi religieuse est un élément essentiel dans l'amour maternel de Josabet pour Joas : peut-on faire un rapprochement avec le rôle de l'amour pour Hector dans le sentiment maternel d'Andromaque? — Le sentiment de culpabilité (vers 264) apparaît très souvent chez Josabet : cherchez-en d'autres exemples.

Et de David éteint rallumé[1] le flambeau[2].
Grand Dieu, si tu prévois qu'indigne de sa race,
Il doive de David abandonner la trace,
285 Qu'il soit comme le fruit en naissant arraché,
Ou qu'un souffle ennemi dans sa fleur a séché[3].
Mais si ce même enfant, à tes ordres docile,
Doit être à tes desseins un instrument utile,
Fais qu'au juste[4] héritier le sceptre soit remis;
290 Livre en mes faibles mains ses puissants ennemis;
Confonds[5] dans ses conseils[6] une reine cruelle.
Daigne, daigne, mon Dieu, sur Mathan et sur elle
Répandre cet esprit d'imprudence et d'erreur[7],
De la chute des rois funeste avant-coureur!
295 L'heure me presse, adieu. Des plus saintes familles
Votre fils et sa sœur vous amènent les filles.

1. *Rallumé :* il faudrait dire aujourd'hui « a rallumé »; 2. *Le flambeau :* image biblique, suggérée par ce passage du deuxième livre des Rois, VIII, 19 : « Yahvé ne voulut pas détruire Juda, à cause de David son serviteur, selon ce qu'il lui avait dit qu'il lui donnerait toujours une lampe, ainsi qu'à ses fils »; 3. Psaumes, CII, 15 : « Les jours de l'homme sont comme l'herbe; comme la fleur des champs, ainsi fleurit-il; qu'un souffle passe sur lui, il n'existe plus »; 4. *Juste :* légitime; voir aussi vers 171; 5. *Confondre :* déconcerter, troubler, abattre. Souhait fréquent dans les prières bibliques (voir, par exemple, Isaïe, XXIX, 10); 6. *Conseils :* voir vers 188 et la note; 7. *Erreur :* aveuglement, égarement.

QUESTIONS

● VERS 265-296. Quels sont les deux arguments du grand prêtre dans sa réponse? — Avec le vers 270, Racine annonce une scène essentielle de l'acte IV : laquelle? — Comme le vers 84, mais de façon plus précise encore, les vers 275-276 préparent l'événement le plus étonnant de la pièce : montrez-le. — Étudiez l'ampleur du tour oratoire du vers 277-282 qui prépare la prière finale. — Comparez, du point de vue de la forme et du fond, la prière de Joad à celle de Josabet, qui a précédé. — Pourquoi évoquer l'éventualité d'une impiété future de Joas (vers 237, 284) dès le début de la pièce (v. vers 1142 et 1785)? La demande des vers 291-292 ne justifie-t-elle pas à l'avance les étrangetés de la conduite d'Athalie et de Mathan dans la pièce? Montrez-le. — A quel effet de rythme tient la force de la prière finale (vers 292-294)? — L'art de Racine : en un vers et demi (295-296) nous sont clairement présentés deux personnages nouveaux et le chœur.

■ SUR L'ENSEMBLE DE LA SCÈNE II. — Comment la scène complète-t-elle parfaitement l'exposition?

— Quels sont les rapports de la foi de Josabet avec sa condition d'épouse et ses sentiments maternels pour Joas? Comment sont expliqués par Racine la peur et le sentiment de culpabilité qui forment le fond de son caractère?

— L'attitude et les arguments de Joad face à Josabet : En quoi diffèrent-ils de ceux qu'il a eus avec Abner?

— Face à l'assurance de Joad, Abner et Josabet représentent deux types humains qui manquent de confiance en Dieu : caractérisez-les.

SCÈNE III. — JOSABET, ZACHARIE, SALOMITH, LE CHŒUR.

JOSABET

Cher Zacharie, allez, ne vous arrêtez pas;
De votre auguste[1] père accompagnez les pas.
O filles de Lévi, troupe jeune et fidèle,
300 Que déjà le Seigneur embrase de son zèle,
Qui venez si souvent partager mes soupirs,
Enfants, ma seule joie en mes longs déplaisirs[2],
Ces festons dans vos mains, et ces fleurs sur vos têtes,
Autrefois convenaient à nos pompeuses[3] fêtes.
305 Mais, hélas! en ces temps d'opprobre et de douleurs,
Quelle offrande sied mieux que celle de nos pleurs?
J'entends déjà, j'entends la trompette sacrée,
Et du temple bientôt on permettra l'entrée.
Tandis que je me vais préparer à marcher[4],
310 Chantez, louez le Dieu que vous venez chercher.

SCÈNE IV. — LE CHŒUR.

TOUT LE CHŒUR *chante.*

Tout l'univers est plein de sa magnificence.
Qu'on adore ce Dieu, qu'on l'invoque à jamais[5]!

---

1. *Auguste :* saint, consacré à la divinité; 2. *Déplaisirs :* vives afflictions (sens très fort au XVIIe siècle); 3. *Pompeux :* majestueux, plein de solennité; 4. *Marcher :* aller en procession solennelle; 5. *A jamais :* toujours.

QUESTIONS

■ SUR LA SCÈNE III. — Comment Racine utilise-t-il cette scène de transition pour justifier la présence du chœur?

— Montrez comment par les mots *festons* (vers 303) et *trompette* (vers 307), Racine laisse entendre que l'action de son acte est terminée (voir vers 6 et 7).

— Rapprochez le vers 309 du vers 159 : quelle importance ont-ils pour le metteur en scène?

— A propos du vers 307, notez l'importance de la musique hors de la scène, et la façon naturelle dont elle doit préparer celle qui va accompagner les chants du chœur.

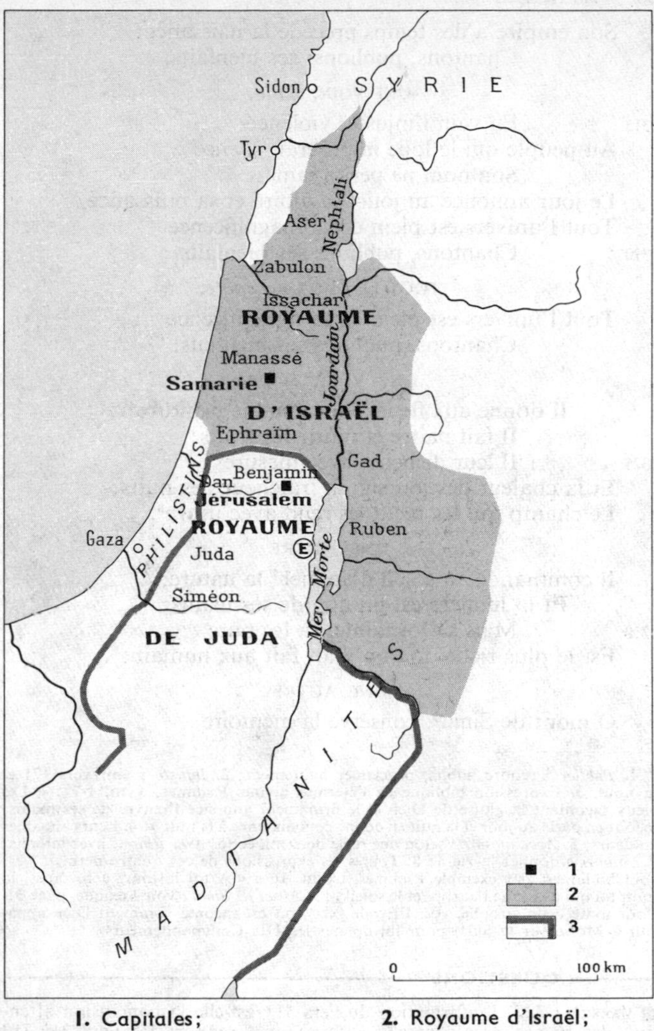

I. Capitales; **2.** Royaume d'Israël;
3. Royaume de Juda; **E.** Désert d'Engaddi.

Son empire a des temps précédé la naissance;
Chantons, publions[1] ses bienfaits.

UNE VOIX, *seule.*

315 En vain l'injuste[2] violence
Au peuple qui le loue imposerait silence :
Son nom ne périra jamais.
Le jour annonce au jour[3] sa gloire et sa puissance,
Tout l'univers est plein de sa magnificence :
320 Chantons, publions ses bienfaits.

TOUT LE CHŒUR *répète.*

Tout l'univers est plein de sa magnificence :
Chantons, publions ses bienfaits.

UNE VOIX, *seule.*

Il donne aux fleurs leur aimable peinture[4] :
Il fait naître et mûrir les fruits;
325 Il leur dispense avec mesure[5]
Et la chaleur des jours et la fraîcheur des nuits;
Le champ qui les reçut les rend avec usure[6].

UNE AUTRE

Il commande au soleil d'animer[7] la nature,
Et la lumière est un don de ses mains;
330 Mais sa loi sainte, sa loi pure
Est le plus riche don qu'il ait fait aux humains[8].

UNE AUTRE

O mont de Sinaï[9], conserve la mémoire

---

1. *Publier :* rendre public, proclamer hautement; 2. *Injuste :* voir vers 171 et la note; 3. Expression biblique de l'éternité divine. Psaumes, XVIII, 1-2 : « Les cieux racontent la gloire de Dieu et le firmament annonce l'œuvre de ses mains; le jour en parle au jour et la nuit en donne connaissance à la nuit »; 4. Leurs aimables couleurs; 5. *Avec mesure :* selon une règle déterminée; 6. *Avec usure :* avec intérêts; 7. *Animer :* donner la vie à; 8. Toutes les expressions de ces quatre derniers vers sont bibliques, par exemple Psaumes, LXXIII, 16 : « A toi le jour, à toi aussi la nuit, toi qui as fondé l'aurore et le soleil »; 9. *Mont de Sinaï :* voir Lexique, page 31. Pour toute cette strophe, voir l'Exode (XIX), où est raconté comment Dieu apparaît à Moïse sur le Sinaï pour lui donner les Dix Commandements.

QUESTIONS

● VERS 311-322. L'affirmation du vers 311 est-elle la conclusion attendue des scènes précédentes? — Dans quel rapport les vers 312-313 sont-ils avec le vers 1 de la pièce? — Justifiez le passage à l'octosyllabe et les effets de contraste ainsi obtenus dans les vers 314, 315, 317 et 320. — A quoi tient la fermeté du vers 317, la splendeur du vers 318?

De ce jour à jamais auguste et renommé,
Quand, sur ton sommet enflammé,
335 Dans un nuage épais le Seigneur enfermé[1]
Fit luire aux yeux mortels un rayon de sa gloire.
Dis-nous pourquoi ces feux et ces éclairs,
Ces torrents de fumée, et ce bruit dans les airs,
Ces trompettes et ce tonnerre?
340 Venait-il renverser l'ordre[2] des éléments?
Sur ses antiques fondements
Venait-il ébranler la terre?

UNE AUTRE

Il venait révéler aux enfants des Hébreux
De ses préceptes saints la lumière immortelle :
345 Il venait à ce peuple heureux
Ordonner de l'aimer d'une amour[3] éternelle.

TOUT LE CHŒUR

O divine, ô charmante[4] loi!
O justice, ô bonté suprême!
Que de raisons, quelle douceur extrême
350 D'engager à ce Dieu son amour et sa foi!

UNE VOIX, *seule.*

D'un joug cruel il sauva nos aïeux[5],
Les nourrit au désert d'un pain délicieux[6].
Il nous donne ses lois, il se donne lui-même[7].
Pour tant de biens[8], il commande qu'on l'aime.

---

1. *Enfermé :* enveloppé; **2.** *Ordre :* disposition, arrangement méthodique; **3.** *Amour :* au XVIIe siècle, l'usage hésite pour ce mot entre le masculin et le féminin; **4.** *Charmant :* qui charme, qui attire irrésistiblement; **5.** *Il sauva nos aïeux* de la servitude en Égypte; **6.** *Un pain délicieux :* la manne dont Dieu nourrit les Hébreux dans le désert après leur sortie d'Égypte; **7.** *Il se donne lui-même.* L'Académie a condamné cette expression toute chrétienne comme anachronique : « Ne peut se dire que sous la loi nouvelle : cette proposition est trop étrangère à l'ancienne loi. » Racine a voulu sans doute faire allusion à l'Eucharistie, mais ces mots restent vraisemblables ici si l'on comprend : Dieu, en donnant sa Loi, s'est donné lui-même à son peuple; **8.** En échange de tant de biens.

QUESTIONS

● VERS 323-346. Dans quel ordre sont successivement chantés les bienfaits de Dieu? — Montrez le caractère très abstrait des vers 323-327 : vous paraît-il poétique? — Étudiez, dans les vers 328-331, l'agencement des trois rythmes différents. — La majesté dans les vers 332-336; l'animation inquiète dans les vers 337-342.

LE CHŒUR

355 O justice, ô bonté suprême!

LA MÊME VOIX

Des mers pour eux il entr'ouvrit les eaux[1];
D'un aride rocher[2] fit sortir des ruisseaux.
Il nous donne ses lois, il se donne lui-même.
Pour tant de biens, il commande qu'on l'aime.

LE CHŒUR

360 O divine, ô charmante loi!
Que de raisons, quelle douceur extrême
D'engager à ce Dieu son amour et sa foi!

UNE AUTRE VOIX, *seule*.

Vous qui ne connaissez qu'une crainte servile[3],
Ingrats, un Dieu si bon ne peut-il vous charmer[4]?
365 Est-il donc à vos cœurs, est-il si difficile
Et si pénible de l'aimer?
L'esclave craint le tyran qui l'outrage;
Mais des enfants l'amour est le partage.
Vous voulez que ce Dieu vous comble de bienfaits,
370 Et ne l'aimer jamais[5]?

TOUT LE CHŒUR

O divine, ô charmante loi!

---

1. Allusion au passage de la mer Rouge à la sortie d'Égypte (Exode, XIV); **2.** Le rocher d'Horeb dont Moïse, sur l'ordre de Dieu, fit jaillir une source. (Exode, XVII, 5-6); **3.** *Servile :* digne d'un esclave, sans affection ni amour vrais; **4.** Charmer : voir vers 347 et la note; **5.** Ces deux derniers vers ne figurent pas dans les éditions de 1691 et 1692. On a voulu voir dans leur accent polémique une profession de foi janséniste contre les jésuites qui affirmaient qu'on n'est pas forcé d'aimer Dieu. (Voir l'*Épître* XII de Boileau sur l'*Amour de Dieu*, composée en 1697.)

QUESTIONS

● VERS 347-362. Pourquoi la répétition d'*aimer* et *amour* dans le vers 346? Montrez qu'elle lance, avec le second refrain, la seconde partie du chant du chœur, plus douce, moins solennelle que la première. — Quelle est l'importance de l'antithèse contenue dans chacun des trois premiers vers du refrain (vers 347-349)? — Pourquoi le seul alexandrin est-il utilisé dans les vers 351-354? Que pensez-vous de l'équivoque du second hémistiche du vers 353 (voir la note 7 de la page 59)? — Pourquoi les vers 356-359 sont-ils chantés par la même voix que les vers 351-354? — Ce thème poétique de l'eau, comme don de Dieu (vers 356-357), n'apparaît pas ici pour la première fois (v. vers 140 et 286) : quel effet est obtenu par cette reprise?

O justice, ô bonté suprême!
Que de raisons, quelle douceur extrême
D'engager à ce Dieu son amour et sa foi!

ACTE II

SCÈNE PREMIÈRE. — JOSABET, SALOMITH, LE CHŒUR.

JOSABET

375 Mes filles, c'est assez; suspendez vos cantiques.
Il est temps de nous joindre aux prières publiques.
Voici notre heure : allons célébrer ce grand jour,
Et devant le Seigneur paraître à notre tour.

GOING TO START.

QUESTIONS

● VERS 363-374. Le dernier couplet (vers 363-370) est-il la conclusion attendue de l'ensemble de ce chœur? L'addition des vers 369-370 était-elle nécessaire? Quelle précision donne-t-elle? — Dégagez l'importance biblique et chrétienne de l'opposition entre *esclave* et *enfants* (vers 367-368).
— Effets d'animation obtenus par le rythme et les apostrophes dans les vers 363-366.

● SUR L'ENSEMBLE DE LA SCÈNE IV. — Comment ce chant du chœur, conformément à la volonté exprimée par Racine dans sa Préface, s'intègre-t-il à l'action de la pièce?
— Étudiez la façon dont il rassemble et met en pleine lumière les thèmes poétiques épars dans l'acte.
— Appréciez la valeur musicale des changements de rythme, de l'agencement des rimes, ainsi que des répétitions de vers et de groupes de vers dans ce chant.

■ SUR L'ENSEMBLE DE L'ACTE PREMIER. — L'acte entier est un acte d'exposition. L'action proprement dite n'y est pas nouée par un événement précis. Est-ce un fait courant dans le théâtre de Racine?
— Les caractères de Joad, de Josabet et d'Abner, tels qu'ils sont présentés, laissent-ils prévoir une évolution quelconque? Sont-ils complexes?
— Le soin que met Racine à tracer son cadre historique et géographique n'est-il pas encore insuffisant pour un lecteur moderne? Comment pallier cet inconvénient?

■ SUR LA SCÈNE PREMIÈRE. — Montrez le souci qu'a Racine d'intégrer le chœur à l'action.
— Quel effet est obtenu par l'inversion du complément et l'emploi du verbe *paraître* dans le vers 378?

2. ARRIVES TELLS J A IS IN TEMPLE
MAKING SACRIFICE.

SCÈNE II. — JOSABET, ZACHARIE, SALOMITH, LE CHŒUR.

JOSABET

Mais que vois-je? Mon fils, quel sujet vous ramène?
380 Où courez-vous ainsi tout pâle et hors d'haleine?

ZACHARIE

O ma mère!

JOSABET

Hé bien! quoi?

ZACHARIE

Le temple est profané[1].

JOSABET

Comment?

ZACHARIE

Et du Seigneur l'autel abandonné[2].

JOSABET

Je tremble. Hâtez-vous d'éclaircir[3] votre mère.

ZACHARIE

Déjà, selon la loi, le grand prêtre mon père,
385 Après avoir au Dieu qui nourrit les humains
De la moisson nouvelle offert les premiers pains[4],
Lui présentait encore entre ses mains sanglantes
Des victimes de paix[5] les entrailles fumantes;
Debout à ses côtés le jeune Éliacin
390 Comme moi le servait en long habit de lin[6];

1. *Profané :* souillé; 2. *L'autel abandonné :* c'est-à-dire le sacrifice interrompu; c'était, dans la religion juive, le plus grand des sacrilèges; 3. *Éclaircir :* informer clairement. *Éclaircir* s'employait, au XVIIe siècle, aussi bien avec les noms de personnes qu'avec les noms de choses; 4. *Les premiers pains :* voir le huitième paragraphe de la Préface; 5. *Victimes de paix :* expression biblique qui désigne les victimes offertes pour les grâces reçues ou à recevoir. D'autres victimes offertes pour le péché servaient à expier une faute. (Voir Dom Calmet, *Dictionnaire de la Bible*); 6. C'est la tenue des lévites.

QUESTIONS

● VERS 379-383. Par quel effet de rythme est soulignée la brutalité du coup de théâtre? Pourquoi les premiers mots de Zacharie sont-ils pour le *temple* et l'*autel?*

Et cependant[1] du sang[2] de la chair immolée
Les prêtres arrosaient l'autel et l'assemblée.
Un bruit confus s'élève, et du peuple surpris
Détourne tout à coup les yeux et les esprits.
395 Une femme... peut-on la nommer sans blasphème[3]?
Une femme... c'était Athalie elle-même.

JOSABET

Ciel!

ZACHARIE

Dans un des parvis, aux hommes réservé,
Cette femme superbe[4] entre, le front levé,
Et se préparait même à passer les limites
400 De l'enceinte sacrée[5] ouverte aux seuls lévites.
Le peuple s'épouvante et fuit de toutes parts.
Mon père... Ah! quel courroux animait ses regards!
Moïse à Pharaon[6] parut moins formidable[7] :
« Reine, sors, a-t-il dit, de ce lieu redoutable,
405 D'où te bannit ton sexe et ton impiété.
Viens-tu du Dieu vivant[8] braver la majesté? »

---

1. *Cependant :* pendant ce temps; 2. *Du sang.* Sur ce rite, l'Académie a fait une observation qui paraît fondée : « Racine s'est trompé ici sur les rites. On n'arrosait point l'assemblée du sang de la victime. Le prêtre trempait simplement un doigt dans le sang et en faisait sept aspersions devant le voile du sanctuaire; il en frottait les cornes de l'autel et répandait le reste au pied du même autel. L'auteur a confondu avec le rite judaïque ce qu'il avait lu dans le quatorzième chapitre de l'Exode, où il est dit que Moïse fit l'aspersion du sang de la victime sur le peuple assemblé; mais il n'y avait pas encore de rite ni de cérémonie légale »; 3. *Sans blasphème.* On taisait en effet le nom des maudits (voir plus loin le vers 706); 4. *Superbe :* voir vers 51 et la note; 5. *Enceinte sacrée :* voir les indications sur le temple que donne Racine aux lignes 25-33 de sa Préface et le plan page 32; 6. *Pharaon :* terme générique qui désignait le souverain d'Égypte, comme *César* désignait l'empereur à Rome; 7. *Formidable :* qui inspire de l'effroi; 8. *Dieu vivant :* expression très fréquente dans la Bible.

QUESTIONS

● Vers 384-396. La valeur picturale de la description (vers 384-392) : les silhouettes successives du grand prêtre, d'Eliacin, des prêtres et de l'assemblée. Pourquoi Eliacin vient-il à cette place dans le tableau? — Les effets obtenus par les inversions dans les vers 385-386 et 388, la place de l'adverbe en tête (vers 389), l'allitération discrète du vers 390, l'enjambement du vers 393 sur le vers suivant. — Justifiez les points de suspension des vers 395-396; Athalie est désignée avant d'être nommée : à rapprocher des vers 13 et 21.

La reine alors, sur lui jetant un œil farouche,
Pour blasphémer sans doute[1] ouvrait déjà la bouche.
J'ignore si de Dieu l'ange[2] se dévoilant
410 Est venu lui montrer un glaive étincelant;
Mais sa langue en sa bouche à l'instant s'est glacée[3],
Et toute son audace a paru terrassée;
Ses yeux, comme effrayés, n'osaient se détourner;
Surtout Éliacin paraissait l'étonner[4].

JOSABET

415 Quoi donc? Éliacin a paru devant elle?

ZACHARIE

Nous regardions tous deux cette reine cruelle,
Et d'une égale horreur nos cœurs étaient frappés.
Mais les prêtres bientôt nous ont enveloppés.
On nous a fait sortir. J'ignore tout le reste,
420 Et venais vous conter[5] ce désordre funeste.

JOSABET

Ah! de nos bras sans doute elle vient l'arracher;
Et c'est lui qu'à l'autel sa fureur vient chercher.
Peut-être en ce moment l'objet de tant de larmes...

1. *Sans doute :* sans aucun doute; 2. La description qui suit fait penser à l'ange exterminateur. De semblables apparitions sont racontées dans la Bible (Nombres, XXII, 31, et premier livre des Chroniques, XXI, 16 : « David vit l'ange de Yahvé debout entre la Terre et les cieux, ayant en main son épée dégainée et tendue contre Jérusalem »); 3. *S'est glacée :* l'expression est peut-être un souvenir de Virgile (*les Géorgiques*, IV, 526, et *l'Énéide*, III, 48); 4. *Étonner :* frapper de stupeur; 5. *Conter :* raconter. *Conter* a pris aujourd'hui un sens plus familier.

QUESTIONS

● VERS 397-414. En quatre vers (397-400), trois actes d'impiété chez Athalie : lesquels? — Étudiez la beauté descriptive due au rythme et à la place des mots dans les vers 398-400. Comment est exprimée l'admiration pour son père chez le jeune Zacharie (vers 402-403)? — Que traduit le passage au style direct (vers 404-406)? — Son caractère de femme est un reproche fréquent (vers 13, 396-397 et 405) adressé à Athalie : quelle est l'intention de Racine sur ce point? — La vraisemblance dans la bouche de Zacharie et la force dramatique de la supposition des vers 409-410. — Après le premier mystère dans l'attitude d'Athalie (vers 51-52), montrez que, par cet autre mystère (vers 411-413), Racine aiguise l'intérêt et commence à préparer le récit du songe. — L'effet de surprise provoqué par le dernier vers du récit.

Souviens-toi de David[1], Dieu, qui vois mes alarmes.

SALOMITH

425 Quel est-il, cet objet des pleurs que vous versez?

ZACHARIE

Les jours d'Éliacin seraient-ils menacés?

SALOMITH

Aurait-il de la reine attiré la colère?

ZACHARIE

Que craint-on d'un enfant sans support[2] et sans père?

JOSABET

Ah! la voici. Sortons : il la faut éviter.

SCÈNE III. — ATHALIE, ABNER, AGAR, SUITE D'ATHALIE.

AGAR

430 Madame, dans ces lieux pourquoi vous arrêter?
Ici tous les objets[3] vous blessent, vous irritent.
Abandonnez ce temple aux prêtres qui l'habitent :
Fuyez tout ce tumulte, et dans votre palais
A vos sens agités venez rendre la paix.

ATHALIE

435 Non, je ne puis : tu vois mon trouble et ma faiblesse.
Va, fais dire à Mathan qu'il vienne, qu'il se presse;

---

1. C'est-à-dire des promesses faites à David. (Voir Psaumes, CXXXI, 1); 2. *Sans support :* sans soutien; 3. Tout ce qui s'offre à votre vue.

QUESTIONS

● VERS 415-429. L'art du récit interrompu dans une action dramatique (vers 419). — Comment, dans les vers 421-424, apparaît clairement la lutte chez Josabet entre deux sentiments opposés? Quelle influence ont eue sur elle les arguments de Joad (acte premier, scène II)? Pourquoi les répliques de Zacharie et de Salomith sont-elles si pathétiques? Que craint le spectateur? — Le naturel dans la justification de la sortie de scène des personnages. Évoquez l'effet scénique obtenu par la sortie du chœur et l'entrée de toute la suite de la reine, si différente d'aspect.

■ SUR L'ENSEMBLE DE LA SCÈNE II. — Pourquoi, malgré un long récit, cette scène garde-t-elle un caractère très pathétique?
— Comment Racine a-t-il rendu le caractère juvénile de Zacharie, tout en faisant de lui le digne fils de Joad?

Heureuse si je puis trouver par son secours
Cette paix que je cherche et qui me fuit toujours.
(Elle s'assied.)

SCÈNE IV. — ATHALIE, ABNER, SUITE D'ATHALIE.

ABNER

Madame, pardonnez si j'ose le[1] défendre.
440 Le zèle[2] de Joad n'a point dû[3] vous surprendre.
Du Dieu que nous servons tel est l'ordre éternel.
Lui-même, il nous traça son temple et son autel[4],
Aux seuls enfants d'Aaron[5] commit[6] ses sacrifices,
Aux lévites marqua leur place et leurs offices[7],
445 Et surtout défendit à leur postérité
Avec tout autre dieu toute société[8].
Hé quoi! vous de nos rois et la femme et la mère,
Etes-vous à ce point parmi nous étrangère?
Ignorez-vous nos lois? et faut-il qu'aujourd'hui...
450 Voici votre[9] Mathan : je vous laisse avec lui.

---

1. *Le* désigne Joad; 2. *Zèle :* ferveur religieuse; 3. *N'a point dû :* n'aurait point dû; ce sens conditionnel de l'indicatif est normal dans la langue classique pour les verbes de possibilité et d'obligation; 4. Le plan du temple et la forme de l'autel sont indiqués de façon minutieuse et détaillée dans l'Exode XXVI et XXVII; 5. *Aaron :* voir Lexique, page 23; 6. *Commettre :* confier; 7. *Offices :* tâches, fonctions; 8. *Société :* union, fréquentation; 9. *Votre :* l'Académie a reproché à Racine la familiarité irrespectueuse et méprisante de cet adjectif dans la bouche d'Abner.

QUESTIONS

■ SUR LA SCÈNE III. — On a le temps d'observer Athalie avant de l'entendre. Mais pourquoi est-ce une femme, et non Abner, par exemple, qui prend la parole (vers 430-434)?

— Montrez que le décor, le lieu, au lieu d'être indifférents et neutres, jouent cette fois dans la tragédie classique un rôle important.

— Que suggère l'indication scénique *(Elle s'assied)*, identique à celle qui accompagne l'entrée de Phèdre (acte premier, scène III)?

— L'impression immédiate éprouvée par le spectateur à l'entrée d'Athalie est-elle conforme à celle qu'il attendait après les évocations de l'acte premier? Pourquoi?

● VERS 439-450. Comment sont conciliées chez Abner la déférence et la fermeté? La part du respect et la part du reproche dans le vers 447 : ne suggère-t-il pas un rapprochement entre Athalie et Agrippine (*Britannicus*, vers 156)? — Quel sentiment expriment le point de suspension à la fin du vers 449 et l'adjectif possessif du vers 450? Comment peut-on justifier ce *votre* critiqué par l'Académie (voir note 9)?

ATHALIE

Votre présence, Abner, est ici nécessaire.
Laissons là de Joad l'audace téméraire,
Et tout ce vain amas de superstitions
Qui ferment votre temple aux autres nations[1].
455 Un sujet plus pressant excite mes alarmes.
Je sais que, dès l'enfance élevé dans les armes,
Abner a le cœur noble, et qu'il rend à la fois
Ce qu'il doit à son Dieu, ce qu'il doit à ses rois[2].
Demeurez.

SCÈNE V. — MATHAN, ATHALIE, ABNER, SUITE D'ATHALIE.

MATHAN

Grande reine, est-ce ici votre place?
460 Quel trouble vous agite, et quel effroi vous glace?
Parmi vos ennemis que venez-vous chercher?
De ce temple profane osez-vous approcher?
Avez-vous dépouillé[3] cette haine si vive...

ATHALIE

Prêtez-moi l'un et l'autre une oreille attentive.
465 Je ne veux point ici rappeler le passé,

---

1. Voir sur cette prescription, par exemple, Ézéchiel, XLIV, 9; 2. On songe à la réponse de Jésus dans l'évangile : « Rendez à César ce qui est à César et à Dieu ce qui est à Dieu »; 3. *Dépouillé* : abandonné entièrement.

QUESTIONS

● VERS 451-458. L'impiété d'Athalie et le caractère étrange de sa conduite vers 452) nous sont confirmés en quelques vers. Mais pourquoi l'intérêt se porte-t-il surtout sur les vers 451 et 455? Pour quels motifs Racine tient-il à faire affirmer solennellement à Athalie, dès le début, sa confiance dans Abner?

■ SUR L'ENSEMBLE DE LA SCÈNE IV. — Le personnage d'Abner : montrez son importance dramatique; son caractère et son attitude.
— Comment s'explique le revirement d'Athalie? Montrez qu'on voit apparaître, sous le ton autoritaire et méprisant qu'elle emploie, le désarroi de la reine.

● VERS 459-463. L'agitation de Mathan à son entrée contraste avec l'accablement d'Athalie lors de la sienne. Ces deux attitudes opposées n'ont pourtant qu'une même cause : laquelle? — Montrez la force de l'antithèse dans le premier hémistiche du vers 462. — Dans quelle diatribe Mathan se lançait-il au vers 463? Quel effet produit son interruption par Athalie?

Ni vous rendre raison du sang que j'ai versé.
Ce que j'ai fait, Abner, j'ai cru le devoir faire.
Je ne prends point pour juge un peuple téméraire[1] :
Quoi que son insolence ait osé publier[2],
470 Le ciel même a pris soin de me justifier.
Sur d'éclatants succès ma puissance établie[3]
A fait jusqu'aux deux mers[4] respecter Athalie;
Par moi Jérusalem goûte un calme profond :
Le Jourdain ne voit plus l'Arabe vagabond,
475 Ni l'altier Philistin, par d'éternels ravages,
Comme au temps de vos rois, désoler[5] ses rivages;
Le Syrien[6] me traite et de reine et de sœur;
Enfin, de ma maison le perfide oppresseur,
Qui devait jusqu'à moi pousser sa barbarie,
480 Jéhu, le fier Jéhu, tremble dans Samarie[7].
De toutes parts pressé par un puissant voisin[8],
Que j'ai su soulever contre cet assassin,
Il me laisse en ces lieux souveraine maîtresse.
Je jouissais en paix du fruit de ma sagesse;
485 Mais un trouble importun vient, depuis quelques jours,
De mes prospérités interrompre le cours.
Un songe (me devrais-je inquiéter d'un songe?)
Entretient dans mon cœur un chagrin[9] qui le ronge.
Je l'évite partout, partout il me poursuit.
490 C'était pendant l'horreur d'une profonde nuit.

---

1. *Téméraire :* irréfléchi; **2.** *Publier :* voir vers 314 et la note; **3.** Ce tableau de la puissance d'Athalie n'est ni dans l'Écriture ni dans Flavius Josèphe : il relève de l'invention de Racine; **4.** La Méditerranée et la mer Rouge; **5.** *Désoler :* dévaster, ravager, dépeupler; **6.** *Le Syrien :* Hazaël, roi de Syrie, dont le règne fut éclatant. Selon le deuxième livre des Rois, x, 32 : « Il battit les Israélites dans tout le territoire d'Israël »; **7.** *Samarie :* capitale du royaume d'Israël; **8.** *Un puissant voisin :* Hazaël (voir vers 477); **9.** *Chagrin :* voir vers 52 et la note.

QUESTIONS

● Vers 464-483. Sur quel ton est prononcé le vers 464? Athalie est accablée, mais elle conserve toute sa lucidité et sa maîtrise d'elle-même : montrez-le dans la fermeté de l'exorde (vers 465-470) comme dans la sûreté de composition de l'ensemble de son discours jusqu'au vers 542. — Pourquoi l'apostrophe à Abner dans le vers 467? — Quel sentiment à l'égard du peuple chez la reine dans les vers 468-469, et que pensez-vous de l'ironie du vers 470 à l'adresse d'Abner? — Le tableau des éclatants succès d'Athalie (vers 471-483) n'appartient pas à la Bible : Racine fausse-t-il cependant l'histoire? Qu'ajoute-t-il au caractère de la reine? Les effets produits par l'ordre, la place et les sonorités des neuf noms propres dans ces quelques vers.

Ma mère Jézabel devant moi s'est montrée,
Comme au jour de sa mort pompeusement parée[1].
Ses malheurs n'avaient point abattu sa fierté[2];
Même elle avait encor cet éclat emprunté
495 Dont elle eut soin de peindre et d'orner son visage,
Pour réparer des ans l'irréparable outrage.
« Tremble, m'a-t-elle dit, fille digne de moi;
Le cruel Dieu des Juifs l'emporte aussi sur toi.
Je te plains de tomber dans ses mains redoutables,
500 Ma fille. » En achevant ces mots épouvantables,
Son ombre vers mon lit a paru se baisser;
Et moi, je lui tendais les mains pour l'embrasser.
Mais je n'ai plus trouvé qu'un horrible mélange
D'os et de chairs meurtris et traînés dans la fange,
505 Des lambeaux pleins de sang et des membres affreux
Que des chiens dévorants se disputaient entre eux.

ABNER

Grand Dieu!

ATHALIE

Dans ce désordre[3] à mes yeux se présente
Un jeune enfant couvert d'une robe éclatante,
Tels[4] qu'on voit des Hébreux les prêtres revêtus.
510 Sa vue a ranimé mes esprits abattus;
Mais, lorsque revenant de mon trouble funeste[5],

---

1. Voir le récit du meurtre de Jézabel dans la Documentation thématique; **2.** *Fierté :* humeur farouche (voir aussi vers 291); **3.** *Désordre :* trouble, égarement d'esprit; **4.** *Tels :* l'Académie a blâmé ce pluriel, qui est un latinisme *(quales)*. Il aurait fallu « tel » au singulier, ou dire « tels on voit des... »; **5.** *Funeste :* qui a rapport à la mort, causé par elle ou l'annonçant.

QUESTIONS

● VERS 484-506. Par quelle reprise de mots le vers 485 nous annonce-t-il l'explication des vers 51-52? — Quel sentiment traduit la parenthèse du vers 487? — Le vers 490 est célèbre et se retient facilement : montrez pourtant son absence totale de pittoresque. — Le spectateur connaît déjà bien Jézabel : comment? Quelle signification peut avoir la splendeur, même factice, de l'apparition (vers 491-496)? Comment justifier la longue périphrase des vers 494-496? — Pourquoi le passage au style direct (vers 497)? Quel effet produit la rime avec les deux pronoms personnels (vers 498-499) suivie d'une autre avec deux adjectifs très longs? Pourquoi l'enjambement du vers 499? — L'évocation, chez Athalie, de sa tendresse filiale (vers 502) n'est-elle pas émouvante? Pourquoi Racine l'a-t-il voulu ainsi? — Montrez le caractère abstrait de presque tous les mots dans les vers 503-506 : comment Racine arrive-t-il, malgré (ou à cause de) cela, à nous imposer une vision d'horreur? Opposez à ce propos les esthétiques classiques et romantiques.

J'admirais sa douceur, son air noble et modeste,
J'ai senti tout à coup un homicide acier[1]
Que le traître en mon sein a plongé tout entier.
515 De tant d'objets divers le bizarre[2] assemblage
Peut-être du hasard vous paraît un ouvrage.
Moi-même quelque temps, honteuse de ma peur,
Je l'ai pris pour l'effet d'une sombre vapeur[3].
Mais de ce souvenir mon âme possédée
520 A deux fois en dormant revu la même idée[4];
Deux fois mes tristes yeux se sont vu retracer
Ce même enfant toujours tout prêt à me percer.
Lasse enfin des horreurs dont j'étais poursuivie,
J'allais prier Baal de veiller sur ma vie
525 Et chercher du repos au pied de ses autels.
Que ne peut la frayeur sur l'esprit des mortels!
Dans le temple des Juifs un instinct[5] m'a poussée,
Et d'apaiser leur Dieu j'ai conçu la pensée;
J'ai cru que des présents calmeraient son courroux,
530 Que ce Dieu, quel qu'il soit, en deviendrait plus doux.
Pontife de Baal, excusez ma faiblesse.
J'entre : le peuple fuit, le sacrifice cesse,
Le grand prêtre vers moi s'avance avec fureur.
Pendant qu'il me parlait, ô surprise! ô terreur!

1. *Acier :* poignard, par métonymie; 2. *Bizarre :* étrange par sa variété incohérente; 3. *Vapeur :* hallucination; 4. *Idée :* image, apparence; 5. *Instinct :* mouvement instinctif.

QUESTIONS

● VERS 507-522. Pourquoi Mathan reste-t-il muet au vers 507? — Comment le rythme jusqu'au vers 512 exprime-t-il le calme progressivement recouvré par Athalie? Ce rythme est-il vraiment rompu au vers 513? Soulignez, à ce propos, l'importance du verbe : *j'ai senti.* — Le *bizarre assemblage* du songe d'Athalie est-il assez poussé pour satisfaire en ce domaine, chez un lecteur moderne, le goût de la vraisemblance? Ce songe n'est-il pas très « arrangé » au contraire par l'esthétique classique de Racine? Montrez qu'il contient en clair pour le spectateur l'annonce des deux rencontres décisives entre Athalie et Joas (acte II, scène VII, et acte V, scène V). Cette reconnaissance par le héros et le spectateur d'un destin ainsi connu au départ est-elle conforme à l'essence du plaisir tragique? — Comparez, du point de vue dramatique et poétique, ce songe à celui de Camille, dans *Horace*, et à celui de Pauline, dans *Polyeucte*. La tragédie classique utilise-t-elle souvent ce procédé de l'avenir révélé par un pressentiment, un songe ou un oracle? — Que traduit la grande régularité rythmique des groupes de deux vers dans l'ensemble 515-522?

535 J'ai vu ce même enfant dont je suis menacée,
Tel qu'un songe effrayant l'a peint à ma pensée[1].
Je l'ai vu, son même air, son même habit de lin,
Sa démarche, ses yeux, et tous ses traits enfin;
C'est lui-même. Il marchait à côté du grand prêtre,
540 Mais bientôt à ma vue on l'a fait disparaître.
Voilà quel trouble ici m'oblige à m'arrêter,
Et sur quoi j'ai voulu tous deux vous consulter.
Que présage, Mathan, ce prodige incroyable?

MATHAN

Ce songe et ce rapport[2], tout me semble effroyable.

ATHALIE

545 Mais cet enfant fatal[3], Abner, vous l'avez vu :
Quel est-il? de quel sang? et de quelle tribu?

ABNER

Deux enfants à l'autel prêtaient leur ministère :
L'un est fils de Joad, Josabet est sa mère;
L'autre m'est inconnu.

MATHAN

Pourquoi délibérer?
550 De tous les deux, madame, il se faut assurer.

---

1. Comme le dit Louis Racine, il semble que dans tout ce passage Racine se soit souvenu d'un récit de Flavius Josèphe (*Antiquités juives*, livre XI, chap. VIII, 5) : c'est Alexandre qui est saisi de stupeur lorsque, voyant le grand prêtre des Juifs s'avancer vers lui, il reconnaît en lui l'objet d'un de ses songes; **2.** *Ce rapport :* cette conformité, cette concordance du songe avec la réalité; **3.** *Fatal :* qui a rapport au destin : ici, qui est un signe du destin.

QUESTIONS

● VERS 523-543. Que suggère le peu d'empressement mis par Athalie à aller prier Baal (vers 523-524)? — L'exclamation du vers 526 est-elle à rattacher aux vers précédents ou aux vers suivants? — Si déraisonnable que soit un instinct (vers 527), n'a-t-il pas ici quelque justification dans l'esprit d'Athalie? — Comment l'idée du vers 529 sera-t-elle en un sens développée dans la scène VII par l'attitude de la reine envers Joas? — De quelle importance dramatique est la lucidité que conserve Athalie à l'égard de sa conduite (vers 531)? — Effets obtenus par le rythme coupé des vers 532 et 534 opposé au rythme large des vers 533 et 535. — Rapprochez le vers 537 des vers 390 et 509 : quelle importance un élément extérieur comme le costume comporte-t-il pour la mise en scène? — Commentez, dans le vers 539, le saisissant déplacement de la césure et la valeur sculpturale du verbe à l'imparfait.

Vous savez pour Joad mes égards, mes mesures[1],
Que je ne cherche point[2] à venger mes injures[3],
Que la seule équité[4] règne en tous mes avis;
Mais lui-même, après tout, fût-ce son propre fils,
555 Voudrait-il un moment laisser vivre un coupable?

ABNER

De quel crime un enfant peut-il être capable?

MATHAN

Le ciel nous le fait voir un poignard à la main :
Le ciel est juste et sage et ne fait rien en vain.
Que cherchez-vous de plus?

ABNER

Mais, sur la foi[5] d'un songe,
560 Dans le sang d'un enfant voulez-vous qu'on se plonge?
Vous ne savez encor de quel père il est né,
Quel[6] il est.

MATHAN

On le craint, tout est examiné.
A d'illustres parents s'il doit son origine,
La splendeur de son sort[7] doit hâter sa ruine.
565 Dans le vulgaire obscur si le sort l'a placé,
Qu'importe qu'au hasard un sang vil[8] soit versé?
Est-ce aux rois à garder cette lente justice?
Leur sûreté souvent dépend d'un prompt supplice.
N'allons point les gêner[9] d'un soin[10] embarrassant;
570 Dès qu'on leur est suspect, on n'est plus innocent.

---

1. *Mesures :* ménagements, précautions; **2.** *Que je ne cherche point...* On évite aujourd'hui de donner à un même verbe des compléments d'espèce différente, comme ici (un nom et une proposition). Cette construction était normale au XVIIe siècle. Voir aussi vers 1613; **3.** *Mes injures :* les outrages dont j'ai été l'objet; **4.** *La seule équité :* l'équité seule; **5.** *Sur la foi :* en vous fiant à; **6.** *Quel :* interroge sur la qualité et non simplement sur l'identité comme *qui; 7.* *Sort :* état. Mais au vers suivant, *sort :* destinée; **8.** *Vil :* de peu de prix, sans valeur; **9.** *Gêner :* tourmenter; **10.** *Soin :* voir vers 266 et la note.

QUESTIONS

● VERS 544-570. A quoi tient la vivacité du tour dans le vers 545? — Montrez le contraste entre la première (vers 544) et la seconde réaction de Mathan (vers 549 et suivants)? Quel renseignement apporte-t-il sur ses sentiments profonds? — Pourquoi le spectateur est-il aussitôt convaincu de l'hypocrisie de Mathan dans les vers 551-553? — Pourquoi Abner défend-il aussitôt Joas (vers 556)? — Que recouvre, selon vous, le mot *ciel* répété par Mathan aux vers 557-558? — L'argument d'Abner, au vers 561, n'a-t-il pas quelque chose d'étrange? — Que traduit la brièveté sèche des paroles de Mathan au vers 562? — La leçon politique donnée par Racine dans les vers 567-570.

ABNER

Hé quoi! Mathan, d'un prêtre est-ce là le langage?
Moi, nourri dans la guerre aux horreurs du carnage,
Des vengeances des rois ministre[1] rigoureux,
C'est moi qui prête ici ma voix au malheureux!
575 Et vous, qui lui devez des entrailles de père,
Vous, ministre de paix dans les temps de colère,
Couvrant d'un zèle faux votre ressentiment,
Le sang à votre gré coule trop lentement!
Vous m'avez commandé de vous parler sans feinte,
580 Madame : quel est donc ce grand sujet de crainte?
Un songe, un faible enfant que votre œil prévenu[2]
Peut-être sans raison croit avoir reconnu.

ATHALIE

Je le veux croire, Abner; je puis m'être trompée.
Peut-être un songe vain[3] m'a trop préoccupée.
585 Hé bien! il faut revoir cet enfant de plus près;
Il en[4] faut à loisir examiner les traits.
Qu'on les fasse tous deux paraître en ma présence.

ABNER

Je crains...

ATHALIE

Manquerait-on pour moi de complaisance[5]?
De ce refus bizarre où seraient les raisons?
590 Il pourrait me jeter en d'étranges soupçons.
Que Josabet, vous dis-je, ou Joad les amène;
Je puis, quand je voudrai, parler en souveraine.
Vos prêtres, je veux bien, Abner, vous l'avouer,
Des bontés d'Athalie ont lieu de se louer.
595 Je sais sur ma conduite et contre ma puissance
Jusqu'où de leurs discours[6] ils portent la licence.

---

1. *Ministre :* « Celui dont on se sert pour l'exécution de quelque chose » (*Dictionnaire de l'Académie*, 1694); **2.** *Prévenu :* qui a des préventions, des préjugés défavorables; **3.** *Vain :* vide, sans consistance, qui ne repose sur rien; **4.** *En :* de lui; **5.** *Complaisance :* effort pour plaire en obéissant; **6.** *Discours :* propos, paroles.

QUESTIONS

● Vers 571-582. Comment le rythme soutient-il l'indignation d'Abner? — Le rôle du guerrier et le rôle du prêtre selon Racine : l'allusion historique possible aux persécutions religieuses de la fin du XVIIe siècle.

Ils vivent cependant, et leur temple est debout,
Mais je sens que bientôt ma douceur est à bout.
Que Joad mette un frein à son zèle sauvage
600 Et ne m'irrite point par un second outrage.
Allez.

SCÈNE VI. — ATHALIE, MATHAN, SUITE D'ATHALIE.

MATHAN

Enfin je puis parler en liberté;
Je puis dans tout son jour mettre la vérité.
Quelque monstre[1] naissant dans ce temple s'élève[2],
Reine : n'attendez pas que le nuage crève.
605 Abner chez le grand prêtre a devancé le jour.
Pour le sang de ses rois vous savez son amour.
Et qui sait si Joad ne veut point en leur place
Substituer l'enfant dont le ciel vous menace,
Soit son fils, soit quelque autre...

ATHALIE

Oui, vous m'ouvrez les yeux.
610 Je commence à voir clair dans cet avis des cieux.
Mais je veux de mon doute être débarrassée.

---

1. *Monstre* : nouveauté étrange, extraordinaire; 2. *S'élever* : grandir.

QUESTIONS

● VERS 583-600. Athalie avait déjà décidé sans doute de revoir les deux enfants. Pourquoi a-t-elle provoqué la discussion entre Abner et Mathan? Quelle a été son attitude pendant tout ce temps? Quel sentiment soutient l'interjection du vers 585? — Peut-on supposer ce qu'allait dire Abner au vers 580, quand il est interrompu par la reine? — Quel effet produisent la violence et les menaces de la fin juste avant l'entrée en scène de Joas? Pourquoi la répétition du verbe *vouloir* (vers 592-593), le *vos* et le rythme haché du vers 593?

■ SUR L'ENSEMBLE DE LA SCÈNE V. — Quels sont les trois moments de cette scène? La querelle entre Abner et Mathan, l'ordre final d'Athalie ont-ils la même importance que le long récit du songe? Pourquoi?
— La situation dans cette scène : un personnage royal, inquiet entre deux conseillers d'avis opposés, rappelle les scènes célèbres de *Cinna* (acte II, scène première) et d'*Attila* (acte premier, scène II). Précisez les ressemblances et les différences.
— L'art des contrastes dans cette scène : le caractère de Mathan opposé à celui d'Abner, et, dans celui même de la reine, comment s'unissent et s'éclairent réciproquement la faiblesse et la fermeté, la fièvre et la maîtrise de soi, la cruauté et une certaine douceur?

Un enfant est peu propre à trahir sa pensée;
Souvent d'un grand dessein un mot nous fait juger.
Laissez-moi, cher Mathan, le voir, l'interroger.
615 Vous, cependant, allez, et sans jeter d'alarmes,
A tous mes Tyriens[1] faites prendre les armes.

THINKS JOAS WILL LET SLIP.
MUSTERING AN ARMY.

SCÈNE VII. — JOAS, JOSABET, ATHALIE, ZACHARIE, ABNER, SALOMITH, DEUX LÉVITES, LE CHŒUR, SUITE D'ATHALIE.

JOSABET, *aux deux lévites.*

O vous, sur ces enfants si chers, si précieux,
Ministres du Seigneur, ayez toujours les yeux.

ABNER, *à Josabet.*

Princesse, assurez-vous[2], je les prends sous ma garde.

ATHALIE

620 O ciel! plus j'examine et plus je le regarde,
C'est lui! D'horreur[3] encor tous mes sens sont saisis.
(Montrant Joas[4].)
Épouse de Joad, est-ce là votre fils?

IT IS HIM,
ATHALIE HORRIFIED

JOSABET

Qui? lui, madame?

WANTS TO KNOW IF
ITS JOS. SON.

1. *Tyriens :* voir vers 219; 2. *S'assurer :* se rassurer, avoir confiance; 3. *Horreur :* ici, la sensation physique provoquée par l'effroi; 4. Cette indication scénique, comme les deux précédentes, figure pour la première fois dans l'édition de 1736.

QUESTIONS

■ SUR LA SCÈNE VI. — Comment s'explique le premier vers de Mathan?
— La vraisemblance et l'effet dramatique de la supposition de Mathan (vers 603).
— L'Académie a trouvé une certaine incohérence entre les métaphores des vers 603 et 604 : comment peut-on les justifier?
— Que nous apprend le vers 605 sur le caractère de Mathan?
— Quelle appréhension font naître dans l'esprit du spectateur les vers 606-612?
— Pourquoi Athalie semble-t-elle, au vers 614, s'excuser devant Mathan?
— Pour quel motif Racine a-t-il tenu à éloigner Mathan? Comment l'a-t-il fait de façon très naturelle?
— Montrez l'habileté de Racine à utiliser cette courte scène de transition pour préparer et accentuer l'effet de la suivante.

ATHALIE

Lui.

JOSABET

Je ne suis point sa mère.

(Montrant Zacharie.)

Voilà mon fils.

ATHALIE, *à Joas.*

Et vous, quel est donc votre père[1]?

625 Jeune enfant, répondez.

JOSABET

Le ciel jusqu'aujourd'hui...

ATHALIE

Pourquoi vous pressez-vous de répondre pour lui?
C'est à lui de parler.

JOSABET

Dans un âge si tendre
Quel éclaircissement en pouvez-vous attendre?

ATHALIE

Cet âge est innocent : son ingénuité[2]
630 N'altère point encor la simple vérité.
Laissez-le s'expliquer sur tout ce qui le touche.

JOSABET, *tout bas.*

Daigne mettre, grand Dieu, ta sagesse en sa bouche.

ATHALIE

Comment vous nommez-vous?

JOAS

J'ai nom Éliacin.

---

1. On a rapproché cet interrogatoire de celui d'Ion, chez Euripide (vers 308 et suivants); 2. *Ingénuité :* naïveté, candeur (sans aucun sens péjoratif).

QUESTIONS

● VERS 617-632. Quel effet produisent l'anacoluthe *c'est lui* et l'inversion d'*horreur* (vers 621)? — Justifiez la périphrase du vers 622. — Quelle est l'importance du jeu de scène dans la désignation des enfants? Que traduit le *lui* de Josabet (vers 623)? — Pourquoi Athalie coupe-t-elle la parole à Josabet à la fin du vers 625? — Les paroles d'Athalie sur l'enfance n'admettent pas de réplique; Josabet ne peut que se réfugier dans la prière (vers 632). Montrez comment Racine prépare aussi le spectateur aux réponses si sages de Joas.

ATHALIE

Votre père?

JOAS

Je suis, dit-on, un orphelin

635 Entre les bras de Dieu jeté dès ma naissance,
Et qui de mes parents n'eus jamais connaissance.

ATHALIE

Vous êtes sans parents?

JOAS

Ils m'ont abandonné.

ATHALIE

Comment? et depuis quand?

JOAS

Depuis que je suis né.

ATHALIE

Ne sait-on pas au moins quel pays est le vôtre?

JOAS

640 Ce temple est mon pays : je n'en connais point d'autre[1].

ATHALIE

Où dit-on que le sort vous a fait rencontrer?

JOAS

Parmi des loups cruels prêts à me dévorer.

ATHALIE

Qui vous mit dans ce temple?

JOAS

Une femme inconnue,
Qui ne dit point son nom, et qu'on n'a point revue.

ATHALIE

645 Mais de vos premiers ans[2] quelles mains ont pris soin?

JOAS

Dieu laissa-t-il jamais ses enfants au besoin[3]?

---

1. Dans l'*Ion* d'Euripide, Ion, élevé dans le temple de Delphes, est interrogé par une femme qui se révélera plus tard être sa mère : « Quelle est ta demeure? — La maison du Dieu, où que j'y sois, est ma maison »; **2.** Voir Euripide, *Ion*, 318-323; **3.** *Au besoin :* dans le besoin.

Aux petits des oiseaux il donne leur pâture[1],
Et sa bonté s'étend sur toute la nature.
Tous les jours je l'invoque, et d'un soin[2] paternel
650 Il me nourrit des dons offerts sur son autel.

ATHALIE

Quel prodige nouveau me trouble et m'embarrasse?
La douceur de sa voix, son enfance, sa grâce,
Font insensiblement à mon inimitié
Succéder... Je serais sensible à la pitié?

ABNER

655 Madame, voilà donc cet ennemi terrible.
De vos songes menteurs l'imposture est visible,
A moins que la pitié qui semble vous troubler
Ne soit ce coup fatal qui vous faisait trembler.

ATHALIE, *à Joas et à Josabet.*

Vous sortez?

JOSABET

Vous avez entendu sa fortune[3].
660 Sa présence à la fin pourrait être importune.

---

1. Voir Psaumes, CXLVI, 9 : « Lui qui donne au bétail sa nourriture et aux petits du corbeau qui crient »; 2. *Soin :* voir vers 266 et la note; 3. *Fortune :* le récit de ce qui lui est arrivé.

QUESTIONS

● VERS 633-650. Montrez comment sont liées, dans le début de cet interrogatoire, la force tragique et la plus grande simplicité d'expression. — Quel trait du caractère de Joas éclate dès ses premières réponses? — Joas, selon vous, prend-il au propre ou au figuré l'expression *loups cruels*, dans le vers 642? Pourquoi Athalie ne le questionne-t-elle pas davantage sur ce point? — Montrez comment les vers 646-650 rejoignent le premier chant du chœur à la fin de l'acte premier : qu'a voulu Racine ici?

● VERS 651-660. Athalie continue de vivre le songe (v. vers 512) : quel sentiment s'empare d'elle dans la seconde partie du vers 654? — L'hypothèse d'Abner (vers 657-658) n'est-elle pas insolente? Même Louis Racine trouvait ici son « ironie [...] un peu trop hardie ». Quelle conception implique-t-elle du personnage d'Abner? — L'indication scénique qui suit le nom d'Athalie ne contient pas le nom de Zacharie : pourquoi? — Quel effet produisent sur le spectateur cette fausse sortie, nouvelle maladresse de Josabet (vers 659), ainsi que la reprise de l'interrogatoire?

« ATHALIE »
au théâtre
Sarah-Bernhardt
(1960)

—

ÉLIACIN
(Jean-Pascal Duffard)

ATHALIE
(Sylvie)

et

JOAD
(Pierre Tabard)

—

Acte II, scène VII

Phot. Bernand.

WHAT DOES HE DO?
" DO THEY ALL DO?

ATHALIE, *à Joas.*

Non : revenez. Quel est tous les jours votre emploi?

JOAS

J'adore le Seigneur; on m'explique sa loi;
Dans son livre divin on m'apprend à la lire,
Et déjà de ma main je commence à l'écrire[1].

FAITHFUL + INTELLIGENCE

ATHALIE

665 Que vous dit cette loi?

JOAS

Que Dieu veut être aimé[2],
Qu'il venge[3] tôt ou tard son saint nom blasphémé[4],
Qu'il est le défenseur de l'orphelin[5] timide[6],
Qu'il résiste au superbe[7] et punit l'homicide.

ATHALIE

J'entends[8]. Mais tout ce peuple enfermé dans ce lieu,
670 A quoi s'occupe-t-il?

JOAS

Il loue, il bénit Dieu.

ATHALIE

Dieu veut-il qu'à toute heure on prie, on le contemple?

JOAS

Tout profane exercice[9] est banni de son temple.

ATHALIE

Quels sont donc vos plaisirs?

JOAS

Quelquefois à l'autel
Je présente au grand prêtre ou l'encens ou le sel[10];
675 J'entends chanter de Dieu les grandeurs infinies;
Je vois l'ordre pompeux[11] de ses cérémonies.

ATHALIE

Hé quoi! vous n'avez point de passe-temps plus doux?

---

1. Voir page 36, note 4; **2.** C'est le premier des commandements (Deutéronome, VI, 5); **3.** *Venger :* punir; voir aussi vers 56; **4.** Lévitique, XXIV, 16 : « Celui qui blasphème le nom de Yahvé sera mis à mort »; **5.** Voir vers 227 et la note; **6.** *Timide :* craintif; **7.** *Superbe :* voir vers 51 et la note; **8.** *Entendre :* comprendre; **9.** *Exercice :* travail, occupation ordinaire; **10.** Rite juif. (Voir Lévitique, II, 13 : « Sur chacune de tes offrandes, tu offriras le sel »); **11.** *Pompeux :* voir vers 304 et la note.

Je plains le triste sort d'un enfant tel que vous.
Venez dans mon palais, vous y verrez ma gloire[1].

JOAS

680 Moi! des bienfaits de Dieu je perdrais la mémoire?

ATHALIE

Non, je ne vous veux pas contraindre à l'oublier.

JOAS

Vous ne le priez point.

ATHALIE

Vous le pourrez prier.

JOAS

Je verrais cependant en invoquer un autre.

ATHALIE

J'ai mon Dieu que je sers; vous servirez le vôtre :
685 Ce sont deux puissants dieux.

JOAS

Il faut craindre le mien;
Lui seul est Dieu, madame, et le vôtre n'est rien.

ATHALIE

Les plaisirs près de moi vous chercheront en foule.

JOAS

Le bonheur des méchants comme un torrent s'écoule[2].

ATHALIE

Ces méchants, qui sont-ils?

---

1. *Gloire :* splendeur, éclat de la puissance; 2. Psaumes, LVII, 8 : « Les pécheurs seront réduits à rien comme une eau qui s'écoule. »

QUESTIONS

● VERS 661-678. Qu'espère Athalie en questionnant Joas sur ses occupations? — Toute la journée de l'enfant n'est sans doute pas employée comme il le dit aux vers 662-664 : comment se justifie dès lors sa réponse? — Athalie ignore-t-elle la loi des Juifs (vers 665)? — Joas ne répond que le texte même de la loi : ainsi le second hémistiche du vers 665 reprend le couplet du chœur des vers 363 et suivants. Chaque affirmation, cependant, se retourne contre Athalie : cette insolence est-elle voulue ou inconsciente chez l'enfant? — Développez la pensée d'Athalie au *j'entends* du vers 669. — Pourquoi Athalie cherche-t-elle à obtenir que Joas parle d'autre chose que de religion? — Que pensez-vous des plaisirs de Joas (vers 673-676)? Qu'impliquent-ils chez cet enfant?

JOSABET

Hé! madame, excusez
690 Un enfant...

ATHALIE, *à Josabet.*

J'aime à voir comme vous l'instruisez.
Enfin, Éliacin, vous avez su me plaire;
Vous n'êtes point sans doute un enfant ordinaire.
Vous voyez, je suis reine, et n'ai point d'héritier.
Laissez là cet habit, quittez ce vil métier;
695 Je veux vous faire part[1] de toutes mes richesses;
Essayez[2] dès ce jour l'effet[3] de mes promesses.
A ma table, partout, à mes côtés assis[4],
Je prétends vous traiter comme mon propre fils.

JOAS

Comme votre fils?

ATHALIE

Oui... Vous vous taisez?

JOAS

Quel père
700 Je quitterais! Et pour...

ATHALIE

Hé bien?

---

1. *Faire part* : accorder une part; 2. *Essayer* : faire l'essai, l'expérience de; 3. *Effet* : réalisation, exécution; 4. *Assis* se rapporte à *vous* : construction plus libre qu'aujourd'hui; la règle exige maintenant que le participe ainsi construit se rapporte au sujet du verbe à mode personnel.

QUESTIONS

● VERS 679-690. Pourquoi pareille brusquerie dans l'offre d'Athalie au vers 679? — Que pensez-vous de la tolérance religieuse dont elle fait preuve ensuite? — Quel effet produit, par opposition, l'intolérance fanatique de l'enfant? Cette dernière n'est-elle pas admirable, en dépit des critiques de Voltaire *(Dictionnaire historique et critique)?* — L'image du vers 688 est-elle naturelle dans la bouche de Joas? — Que cherche Athalie par la vivacité de sa question au vers 689? — Pourquoi Josabet sort-elle ici de son mutisme? — Le rythme du dialogue dans toute cette partie de la scène : quel sentiment trahit-il chez chacun des deux interlocuteurs?

JOAS

Pour quelle mère!

ATHALIE, *à Josabet.*

Sa mémoire est fidèle, et dans tout ce qu'il dit
De vous et de Joad je reconnais l'esprit.
Voilà comme, infectant[1] cette simple[2] jeunesse,
Vous employez tous deux le calme où je vous laisse.
705 Vous cultivez déjà leur haine et leur fureur;
Vous ne leur prononcez mon nom qu'avec horreur.

JOSABET

Peut-on de nos malheurs leur dérober l'histoire?
Tout l'univers les sait; vous-même en faites gloire.

ATHALIE

Oui, ma juste fureur, et j'en fais vanité[3],
710 A vengé mes parents sur ma postérité.
J'aurais vu massacrer et mon père et mon frère[4],
Du haut de son palais précipiter ma mère[5],
Et dans un même jour égorger à la fois
(Quel spectacle d'horreur!) quatre-vingts fils de rois[6] :
715 Et pourquoi? Pour venger je ne sais quels prophètes,

---

1. *Infecter :* corrompre; sens fréquent au XVIIe siècle; **2.** *Simple :* candide, naïf; **3.** J'en tire vanité; **4.** Achab et Joram, rois d'Israël, tous deux tués par Jéhu; **5.** *Ma mère :* voir page 35, note 5; **6.** Il s'agit des fils d'Achab; le deuxième livre des Rois (X, 1) dit soixante-dix.

QUESTIONS

● VERS 691-700. Pourquoi, après l'interruption de Josabet, Athalie ne repose-t-elle plus la question au vers 689? — Analysez le plaisir tragique causé au spectateur par le double sens qu'il donne aux vers 692-693. — Pourquoi l'offre de la vieille reine au jeune enfant (vers 694-698) est-elle à la fois si émouvante et si dérisoire? Ne pourrait-ce pas être une solution satisfaisante à la dangereuse situation de Joas? — Marquez, dans les interrogations courtes, les points de suspension et d'exclamation, le mouvement passionné des vers 699 et 700, ainsi que l'effet obtenu par l'enjambement et la rime significative *père-mère*.

● VERS 701-708. Les reproches d'Athalie à Josabet sont-ils tout à fait justifiés ? — La hardiesse du vers 708 ne surprend-elle pas chez Josabet ?

Dont elle avait puni les fureurs indiscrètes[1] :
Et moi, reine sans cœur[2], fille sans amitié[3],
Esclave d'une lâche et frivole pitié,
Je n'aurais pas du moins à cette aveugle rage
720 Rendu meurtre pour meurtre, outrage pour outrage,
Et de votre David traité tous les neveux[4]
Comme on traitait d'Achab les restes malheureux?
Où serais-je aujourd'hui, si, domptant ma faiblesse,
Je n'eusse d'une mère étouffé la tendresse;
725 Si de mon propre sang ma main versant des flots
N'eût par ce coup[5] hardi réprimé vos complots?
Enfin[6] de votre Dieu l'implacable vengeance
Entre nos deux maisons rompit toute alliance.
David[7] m'est en horreur, et les fils de ce roi,
730 Quoique nés de mon sang, sont étrangers pour moi.

JOSABET

Tout vous a réussi? Que Dieu voie et nous juge.

ATHALIE

Ce Dieu, depuis longtemps votre unique refuge,
Que deviendra l'effet de ses prédictions?
Qu'il vous donne ce roi promis aux nations,
735 Cet enfant de David, votre espoir, votre attente...
Mais nous nous reverrons. Adieu. Je sors contente[8] :
J'ai voulu voir, j'ai vu.

1. *Indiscret :* sans retenue; 2. *Cœur :* courage, vaillance; 3. *Amitié :* amour, tendresse; 4. *Neveux :* descendants; 5. *Coup :* action d'éclat. Le mot n'appartient pas à un registre aussi familier que de nos jours; 6. *Enfin :* à la fin; 7. *David :* la race de David; 8. *Content :* satisfait.

QUESTIONS

● Vers 709-730. Quel sentiment s'exprime par l'unique phrase qui va du vers 711 au vers 722? Une atmosphère de vendetta implacable pèse sur cette pièce : n'est-ce pas réhabiliter le personnage d'Athalie que de s'en rendre compte? Elle n'est pas que criminelle, elle est aussi justicière : peut-on douter de son courage et de sa piété filiale au vers 717? La croyez-vous cependant tout à fait sincère dans sa façon de se justifier du meurtre de ses petits-enfants (vers 723-726)? Pourquoi Racine n'a-t-il pas voulu, ailleurs dans la pièce, nous éclairer nettement sur ce point? — Existe-t-il selon vous une contradiction entre la haine qu'Athalie porte à ses fils et l'amour qu'elle a pour sa mère?

ABNER, *à Josabet.*

Je vous l'avais promis :
Je vous rends le dépôt que vous m'avez commis[1].

Scène VIII. — JOAD, JOSABET, JOAS, ZACHARIE, ABNER, SALOMITH, LÉVITES, LE CHŒUR.

JOSABET, *à Joad.*

Avez-vous entendu cette superbe[2] reine,
740 Seigneur?

JOAD

J'entendais tout, et plaignais votre peine.
Ces lévites et moi, prêts à vous secourir,
Nous étions avec vous résolus de[3] périr.

1. *Commettre :* voir vers 443 et la note; 2. *Superbe :* voir vers 668 et la note; 3. *Résolus de :* résolus à.

QUESTIONS

● Vers 731-738. Qu'est-ce qui explique l'anacoluthe du vers 732? et l'inachèvement de la phrase au vers 735? — La fureur d'Athalie suffit-elle à expliquer que la reine, en sortant, semble oublier Joas, et se contente de menaces sans prendre aucune mesure concrète? — Après l'élan des premiers vers de la tirade, que traduisent les courtes propositions indépendantes qui morcellent les vers 736-737?

■ Sur l'ensemble de la scène vii. — D'où vient l'intérêt pathétique de cette scène? Définissez la situation des deux principaux personnages (Athalie, Joas), en montrant tout ce qui les sépare : âge, condition, foi religieuse; quelles circonstances, en cette journée, accentuent encore cette opposition? Quel est pourtant le lien de parenté entre Athalie et Joas?

— Marquez les différentes étapes de la scène jusqu'aux furieuses menaces de la fin.

— Avec leur vraisemblance et leur naturel, appréciez aussi la férocité, peut-être en partie volontaire, de certaines réponses de Joas. Quelle impression nous laisse, en définitive, ce personnage, que nous venons de voir pour la première fois? Pourquoi ne pouvait-il pas être que douceur et modestie?

— Peur et courage chez Josabet dans cette scène.

— Pourquoi Athalie se domine-t-elle si longtemps avant de laisser éclater sa fureur? Relevez tous les traits qui impliqueraient presque une certaine pitié de Racine pour elle. Comment a-t-elle cependant, dans cette scène, pleinement réalisé ce qu'on nous avait annoncé d'elle durant l'acte premier?

— La poésie de la simplicité et la poésie de la violence dans cette scène.

(A Joas, en l'embrassant.)

Que Dieu veille sur vous, enfant dont le courage
Vient de rendre à son nom ce noble témoignage.
745 Je reconnais, Abner, ce service important.
Souvenez-vous de l'heure[1] où Joad vous attend.
Et nous, dont cette femme impie et meurtrière
A souillé les regards et troublé la prière,
Rentrons, et qu'un sang pur, par mes mains épanché,
750 Lave jusques au marbre où ses pas ont touché[2].

SCÈNE IX. — LE CHŒUR.

UNE DES FILLES DU CHŒUR

Quel astre à nos yeux vient de luire?
Quel sera quelque jour cet enfant merveilleux[3]?
Il brave le faste orgueilleux,
Et ne se laisse point séduire[4]
755 A[5] tous ses attraits périlleux.

UNE AUTRE

Pendant que du dieu d'Athalie
Chacun court encenser l'autel,
Un enfant courageux publie[6]
Que Dieu lui seul est éternel,
760 Et parle comme un autre Élie[7]
Devant cette autre Jézabel.

UNE AUTRE

Qui nous révélera ta naissance secrète,
Cher enfant? Es-tu fils de quelque saint prophète?

1. *L'heure :* voir vers 155. Il faut donc qu'Athalie soit venue au temple de grand matin; 2. Les détails de cette cérémonie expiatoire se trouvent dans les Nombres (XIX) et le Lévitique (XIV et XVI); 3. *Merveilleux :* surnaturel, miraculeux. (Voir Evangile de saint Luc, I, 66); 4. *Séduire :* détourner du droit chemin; 5. *À :* par; 6. *Publier :* voir vers 314 et la note; 7. Le premier livre des Rois, XXI, 17 et suivants, rapporte les menaces d'Élie à Achab, non à Jézabel.

QUESTIONS

■ SUR LA SCÈNE VIII. — Pourquoi Joad est-il resté caché dans la scène précédente? Sa présence en aurait transformé profondément le caractère : comment?

— Quel effet produit, au vers 746, le rappel du rendez-vous donné aux vers 155-156? Pourquoi Racine tient-il à justifier, même à la fin de l'acte, la sortie des personnages?

UNE AUTRE

Ainsi l'on vit l'aimable[1] Samuel
765 Croître à l'ombre du tabernacle[2].
Il devint des Hébreux l'espérance et l'oracle.
Puisses-tu, comme lui, consoler Israël[3]!

UNE AUTRE *chante.*

O bienheureux mille fois
L'enfant que le Seigneur aime,
770 Qui de bonne heure entend sa voix,
Et que ce Dieu daigne instruire lui-même[4]!
Loin du monde élevé, de tous les dons des cieux
Il est orné dès sa naissance;
Et du méchant l'abord contagieux
775 N'altère point son innocence.

TOUT LE CHŒUR

Heureuse, heureuse l'enfance
Que le Seigneur instruit et prend sous sa défense!

LA MÊME VOIX, *seule.*

Tel en un secret[5] vallon,
Sur le bord d'une onde pure,
780 Croît, à l'abri de l'aquilon,
Un jeune lis, l'amour de la nature,
Loin du monde élevé, de tous les dons des cieux
Il est orné dès sa naissance;

1. *Aimable :* au sens fort : qui doit être aimé; 2. Le premier livre de Samuel raconte, en ses premiers chapitres, comment Samuel, le dernier des Juges, fut, dès son enfance, voué au service de Dieu; 3. *Israël :* ici, le peuple hébreu en général, et non le royaume d'Israël; 4. Psaumes, XCIII, 12 : « Heureux l'homme que tu corriges et que tu instruis par ta Loi »; 5. *Secret :* reculé, écarté.

QUESTIONS

● VERS 751-767. Montrez comment les deux premiers couplets de ce chœur ne font que prolonger l'émotion soulevée dans les scènes précédentes? — Quel effet de rythme est obtenu dans les vers 756-761 par la succession des six octosyllabes? — Quelle est l'importance des questions des vers 761-762 pour situer le rôle que joue le chœur dans cette pièce? — Pourquoi l'évocation de Samuel (vers 764-767)?

● VERS 768-787. A partir de là, le texte du chœur est chanté : pourquoi ce chœur, contrairement à celui du premier acte, commençait-il par une partie de texte parlé? — Comment se traduit dans le rythme le passage au chant? — Pourquoi le couplet des vers 778-785 est-il confié à la même voix que le couplet des vers 768-775? — La valeur poétique de l'image du lis (vers 778-785). — Étudiez les variations introduites dans le refrain repris aux vers 786-787.

Et du méchant l'abord contagieux
785 N'altère point son innocence.

TOUT LE CHŒUR

Heureux, heureux mille fois
L'enfant que le Seigneur rend docile à ses lois!

UNE VOIX, *seule.*

Mon Dieu, qu'une vertu naissante
Parmi tant de périls marche à pas incertains!
790 Qu'une âme qui te cherche et veut être innocente
Trouve d'obstacle à ses desseins!
Que d'ennemis lui font la guerre!
Où se peuvent cacher tes saints?
Les pécheurs couvrent la terre[1].

UNE AUTRE

795 O palais de David, et sa chère cité[2],
Mont fameux[3], que Dieu même a longtemps habité,
Comment as-tu du ciel attiré la colère?
Sion, chère Sion, que dis-tu quand tu vois
Une impie étrangère[4]
800 Assise, hélas! au trône[5] de tes rois?

TOUT LE CHŒUR

Sion, chère Sion, que dis-tu quand tu vois
Une impie étrangère
Assise, hélas! au trône de tes rois?

LA MÊME VOIX *continue.*

Au lieu des cantiques[6] charmants[7]
805 Où David t'exprimait ses saints ravissements[8],
Et bénissait son Dieu, son Seigneur et son père,
Sion, chère Sion, que dis-tu quand tu vois

---

1. Les treize vers *Loin du monde* (vers 782) jusqu'à *les pécheurs couvrent la terre* (vers 794) ne sont pas dans l'édition originale de 1691. Racine les a ajoutés à l'édition de 1692; **2.** Voir premier livre des Rois, VIII, 10 et suivants; **3.** *Mont fameux :* la colline de Sion (voir vers 798) sur laquelle David bâtit Jérusalem; **4.** *Une impie étrangère :* la même expression a été déjà appliquée à Athalie au vers 72; **5.** *Au trône :* sur le trône; **6.** *Cantiques :* il s'agit des Psaumes; **7.** *Charmant :* qui possède un attrait irrésistible; **8.** *Ravissements :* extases.

Louer le dieu de l'impie étrangère,
Et blasphémer le nom qu'ont adoré tes rois[1]?

UNE VOIX, *seule.*

810 Combien de temps[2], Seigneur, combien de temps encore
Verrons-nous contre toi les méchants s'élever[3]?
Jusque dans ton saint temple ils viennent te braver.
Ils traitent d'insensé le peuple qui t'adore.
Combien de temps, Seigneur, combien de temps encore
815 Verrons-nous contre toi les méchants s'élever?

UNE AUTRE

Que vous sert, disent-ils, cette vertu sauvage?
De tant de plaisirs si doux
Pourquoi fuyez-vous l'usage?
Votre Dieu ne fait rien pour vous[4].

UNE AUTRE

820 Rions, chantons, dit cette troupe impie :
De fleurs en fleurs, de plaisirs en plaisirs,
Promenons nos désirs.
Sur l'avenir insensé qui se fie.
De nos ans passagers le nombre est incertain :
825 Hâtons-nous aujourd'hui de jouir de la vie;
Qui sait si nous serons demain[5]?

TOUT LE CHŒUR

Qu'ils pleurent, ô mon Dieu, qu'ils frémissent de crainte,
Ces malheureux, qui de ta cité sainte
Ne verront point l'éternelle splendeur.

---

1. Cette strophe n'est pas dans les éditions de 1691 et 1692; 2. Dans ces chants du chœur, les réminiscences bibliques sont particulièrement nombreuses, par exemple les Psaumes, XCIII, 3-4 : « Jusques à quand, Seigneur, jusques à quand les pécheurs triompheront-ils? »; 3. *S'élever :* se soulever; 4. Rappel des paroles d'Athalie (vers 732-735) et des Psaumes, XLI, 4 : « On me dit chaque jour : Où est ton Dieu? »; 5. Sagesse, II, 6 : « Venez donc, jouissons des biens présents. Enivrons-nous des vins les plus précieux, parfumons-nous d'huile de senteur et ne laissons point passer la fleur des années. Couronnons-nous de roses, avant qu'elles se flétrissent. » De plus, Racine ajoute sans doute au souvenir des livres sacrés, celui des accents épicuriens imités des odes d'Horace.

QUESTIONS

● VERS 788-809. Comment se fait, dans le couplet des vers 788-794, le passage du cas particulier de Joas à un thème beaucoup plus général? — Quelle est l'importance de l'hostilité violente du chœur contre Athalie (vers 799)? Comment se traduit-elle dans le rythme? — L'art du semblable et du différent, dans les deux couplets confiés à la même voix.

830 C'est à nous de chanter, nous à qui tu révèles
Tes clartés immortelles;
C'est à nous de chanter tes dons et ta grandeur.

UNE VOIX, *seule.*

De tous ces vains plaisirs où leur âme se plonge,
Que leur restera-t-il? Ce qui reste d'un songe
835 Dont on a reconnu l'erreur.
A leur réveil, ô réveil plein d'horreur!
Pendant que le pauvre à ta table[1]
Goûtera de ta paix la douceur ineffable,
Ils boiront dans la coupe affreuse, inépuisable,
840 Que tu présenteras, au jour de ta fureur,
A toute la race coupable[2].

TOUT LE CHŒUR

O réveil plein d'horreur!
O songe peu durable!
O dangereuse erreur!

---

1. Voir la parabole du mauvais riche et de Lazare dans les Évangiles; 2. Psaumes, LXXIX, 9 : « Une coupe est dans la main du Seigneur, pleine de vin mêlé [...] la lie n'en est point épuisée : tous les pécheurs de la terre en boiront. »

QUESTIONS

● VERS 810-844. Pourquoi, à partir du vers 810, la reprise de l'alexandrin? Comment est exprimée encore la véhémence de la jeune Israélite? — Rapprochez les vers 816-819 de certaines paroles d'Athalie dans la scène VII : comment, tout en développant un thème général, restent-ils liés à l'action de la pièce? — D'où vient l'effet d'allégresse et de légèreté des vers 820-826? — Pourquoi est-ce tout le chœur qui chante les vers 827-832? L'effet obtenu dans ce couplet par la disposition des rimes et les alexandrins encadrant des vers plus courts. — Montrez dans le couplet suivant avec quel soin est amenée l'image finale de la *coupe affreuse.*

■ SUR L'ENSEMBLE DE LA SCÈNE IX. — Quelle différence essentielle y a-t-il entre le chœur du premier acte et celui du second acte?
— Ce chœur peut se diviser en quatre parties (751-767, 768-787, 788-809, 810-844) : à quel état d'âme correspond chacune d'elles?
— Est-ce par l'utilisation des images que la poésie de ce chœur est le plus marquée?

■ SUR L'ENSEMBLE DE L'ACTE II. — Dans quelle mesure faut-il attendre cet acte pour que l'exposition soit pleinement achevée? A quel moment l'action proprement dite s'y noue-t-elle définitivement?
— Nous ne reverrons plus Athalie jusqu'aux dernières scènes de l'acte V. Son personnage est-il suffisamment vivant en nous après son apparition dans cet acte? Pourquoi?
— Joas tel que nous l'avons vu apparaître appartient-il bien pour notre sensibilité moderne au monde de l'enfance? Quelle pouvait être, sur ce point, la réaction d'un spectateur du XVIIe siècle?

ACTE III

SCÈNE PREMIÈRE. — MATHAN, NABAL, LE CHŒUR.

MATHAN

845 Jeunes filles, allez : qu'on dise à Josabet
Que Mathan veut ici lui parler en secret.

UNE DES FILLES DU CHŒUR

Mathan! O Dieu du ciel, puisses-tu le confondre[1]!

NABAL

Hé quoi! tout se disperse et fuit sans vous répondre?

MATHAN

Approchons.

SCÈNE II. — ZACHARIE, MATHAN, NABAL.

ZACHARIE

Téméraire, où voulez-vous passer?
850 Au delà de ce lieu gardez-vous d'avancer.
C'est des ministres saints la demeure sacrée;
Les lois à tout profane en défendent l'entrée.
Qui cherchez-vous? Mon père, en ce jour solennel,
De l'idolâtre impur fuit l'aspect criminel[2];
855 Et devant le Seigneur maintenant prosternée,
Ma mère en ce devoir craint d'être détournée.

MATHAN

Mon fils, nous attendrons; cessez de vous troubler.
C'est votre illustre mère à qui[3] je veux parler.
Je viens ici chargé d'un ordre de la reine.

---

1. *Confondre :* voir le vers 291 et la note; 2. La seule vue de l'idolâtrie serait un crime; 3. C'est à votre illustre mère que. Cette construction était normale au XVIIe siècle.

QUESTIONS

■ SUR LA SCÈNE PREMIÈRE. — Quelles ressemblances y a-t-il entre le début de l'acte III et celui de l'acte II?

■ SUR LA SCÈNE II. — La violence de Zacharie est-elle conforme à ce que nous connaissons déjà de son caractère? Comment sa colère rend-elle plus sensible au spectateur ce qu'a d'inattendu le retour de Mathan au temple en ce moment?

— Quelles expressions, dans le vers 857, marquent l'affabilité hypocrite et légèrement ironique de Mathan?

— Analysez l'état d'esprit du spectateur quand s'engage la longue scène d'attente qui suit.

SCÈNE III. — MATHAN, NABAL.

NABAL

860 Leurs enfants ont déjà leur audace hautaine.
Mais que veut Athalie en cette occasion?
D'où naît dans ses conseils[1] cette confusion[2]?
Par l'insolent Joad ce matin offensée,
Et d'un enfant fatal en songe menacée,
865 Elle allait immoler Joad à son courroux,
Et dans ce temple enfin placer Baal et vous.
Vous m'en aviez déjà confié votre joie,
Et j'espérais ma part d'une si riche proie.
Qui[3] fait changer ainsi ses vœux irrésolus?

MATHAN

870 Ami, depuis deux jours je ne la connais[4] plus.
Ce n'est plus cette reine éclairée, intrépide,
Élevée au-dessus de son sexe timide[5],
Qui d'abord[6] accablait ses ennemis surpris[7]
Et d'un instant perdu connaissait tout le prix.
875 La peur d'un vain remords[8] trouble cette grande âme :
Elle flotte, elle hésite; en un mot, elle est femme.

---

1. *Conseils :* voir vers 188 et la note; **2.** *Confusion :* trouble, désordre grave (voir aussi vers 291 et 847); **3.** *Qui :* qu'est-ce qui? L'interrogatif *qui* s'emploie encore au XVIIe siècle pour les choses comme pour les personnes; **4.** *Connaître :* reconnaître; **5.** *Timide :* voir vers 667 et la note; **6.** *D'abord :* dès l'abord; **7.** *Surpris :* pris à l'improviste; **8.** La peur de commettre une action que suivrait un remords inutile.

QUESTIONS

● VERS 860-869. Quelle espèce de complicité entre Nabal et Mathan implique le *leur* du vers 860? — Que suggère le rapprochement qui s'impose entre le vers 862 et le vers 291? — Qu'a de révélateur sur les sentiments de Nabal la façon dont il emploie le mot *Baal*, dans le second hémistiche du vers 866? — Comment le vers 868 classe-t-il définitivement le personnage? — Quelle remarque peut-on faire sur le déroulement du temps dans cette pièce à partir de l'expression *ce matin*, du vers 863?

● VERS 870-876. Pourquoi Mathan insiste-t-il autant sur la transformation du caractère d'Athalie? — Étudiez le contraste dans le rythme entre les vers 875 et 876. — Quelle conception de la femme implique chez Mathan le vers 876? Lui est-elle particulière dans la pièce (v. vers 13, 396 et 405)? N'est-ce pas là une des formes de la « couleur locale » chez Racine?

J'avais tantôt rempli d'amertume et de fiel[1]
Son cœur, déjà saisi des menaces[2] du ciel;
Elle-même, à mes soins confiant sa vengeance,
880 M'avait dit d'assembler sa garde en diligence;
Mais, soit que cet enfant devant elle amené,
De ses parents, dit-on, rebut[3] infortuné,
Eût d'un songe effrayant diminué l'alarme,
Soit qu'elle eût même en lui vu je ne sais quel charme[4],
885 J'ai trouvé son courroux chancelant, incertain,
Et déjà remettant sa vengeance à demain.
Tous ses projets semblaient l'un l'autre se détruire[5].
« Du sort de cet enfant, je me suis fait instruire,
Ai-je dit. On commence à vanter ses aïeux;
890 Joad de temps en temps le montre aux factieux,
Le fait attendre aux Juifs comme un autre Moïse,
Et d'oracles menteurs s'appuie[6] et s'autorise. »
Ces mots ont fait monter la rougeur sur son front.
Jamais mensonge heureux n'eut un effet si prompt.
895 « Est-ce à moi de languir dans cette incertitude?
Sortons, a-t-elle dit, sortons d'inquiétude.
Vous-même à Josabet prononcez cet arrêt :
Les feux vont s'allumer, et le fer est tout prêt :
Rien ne peut de leur temple empêcher le ravage,
900 Si je n'ai de leur foi[7] cet enfant pour otage. »

NABAL

Hé bien! pour un enfant qu'ils ne connaissent pas,

---

1. *Fiel :* animosité; 2. *Frappé* par les menaces; 3. *Rebut.* Il s'agirait donc d'un enfant abandonné, renié par ses parents; 4. *Charme :* attirance irrésistible; 5. Voir *Phèdre*, vers 162 : « Comme on voit tous ses vœux l'un l'autre se détruire! », dit Œnone à propos de Phèdre; 6. S'appuie sur des oracles. La préposition *de* était d'un emploi beaucoup plus étendu au XVIIe siècle; 7. *Foi :* ici, fidélité (au pouvoir d'Athalie).

QUESTIONS

● VERS 877-887. Mathan a-t-il deviné les raisons profondes du revirement d'Athalie? — Quelle est l'importance du *dit-on* (vers 882)? — Le vers 887, une fois de plus (vers 435-438), impose un rapprochement avec *Phèdre* (vers 162) : est-ce réminiscence accidentelle, nécessité inévitable ou volonté délibérée chez Racine?

● VERS 888-900. Pourquoi deux fois le passage au style direct en cette fin de tirade? — Comment Mathan est-il à la fois menteur et véridique? L'impression produite sur le spectateur. — Marquez, en étudiant le contraste de rythme entre les vers 895 et 896, comment Racine exprime le sursaut d'énergie chez la reine. — Pourquoi est-ce à Josabet qu'elle a envoyé Mathan?

Que le hasard peut-être a jeté dans leurs bras,
Voudront-ils que leur temple, enseveli sous l'herbe...

MATHAN

Ah! de tous les mortels connais le plus superbe[1].
905 Plutôt que dans mes mains par Joad soit livré
Un enfant qu'à son Dieu Joad a consacré,
Tu lui verras subir la mort la plus terrible.
D'ailleurs pour cet enfant leur attache[2] est visible.
Si j'ai bien de la reine entendu[3] le récit,
910 Joad sur sa naissance en sait plus qu'il ne dit.
Quel qu'il soit, je prévois qu'il leur sera funeste.
Ils le refuseront : je prends sur moi le reste;
Et j'espère qu'enfin de ce temple odieux
Et la flamme et le fer vont délivrer mes yeux.

NABAL

915 Qui[4] peut vous inspirer une haine si forte?
Est-ce que de Baal le zèle vous transporte?
Pour moi, vous le savez, descendu d'Ismaël[5],
Je ne sers ni Baal, ni le Dieu d'Israël[6].

MATHAN

Ami, peux-tu penser que d'un zèle frivole[7]
920 Je me laisse aveugler par une vaine idole,
Pour un fragile bois[8] que, malgré mon secours,
Les vers sur son autel consument tous les jours?
Né ministre du Dieu qu'en ce temple on adore,

---

1. *Superbe :* voir vers 51 et la note; 2. *Attache :* attachement; 3. *Entendre :* comprendre; 4. *Qui :* qu'est-ce qui; voir note du vers 869; 5. *Ismaël :* Racine écrit dans ses notes sur *Athalie :* « Les Ismaéliens étaient idolâtres et fort attachés à leurs faux dieux. » Les descendants d'Ismaël, fils d'Abraham et d'Agar, étaient rangés cependant parmi les ennemis d'Israël; 6. *Israël :* voir vers 767 et la note; 7. Par un zèle futile; 8. Isaïe, XLIX, 19 : « Me prosternerai-je devant un tronc d'arbre? »

QUESTIONS

● VERS 901-918. Quel sentiment motive aux vers 905-906 la répétition de *Joad?* — Au vers 908, on songe aux maladresses de Josabet dans la scène VII de l'acte II : ne tremble-t-on pas à l'idée qu'elle va se trouver bientôt en face de Mathan? — Cherchez, dans la scène VII de l'acte II, ce qui a pu faire faire à Athalie la supposition dont parle Mathan aux vers 909-910. — Que suggère le rapprochement du vers 914 avec le vers 898? — Est-il naturel que, pour la première fois, Nabal pose la question du vers 915, alors qu'ils se trouvent dans le temple du dieu des Juifs? Avec quelle intention Racine a-t-il introduit un Ismaélite dans sa pièce?

Peut-être que Mathan le servirait encore,
925 Si l'amour des grandeurs, la soif de commander,
Avec son joug étroit pouvaient s'accommoder.
Qu'est-il besoin, Nabal, qu'à tes yeux je rappelle
De Joad et de moi la fameuse querelle,
Quand j'osai contre lui disputer l'encensoir[1],
930 Mes brigues, mes combats, mes pleurs, mon désespoir?
Vaincu par lui, j'entrai dans une autre carrière,
Et mon âme à la cour s'attacha toute entière.
J'approchai par degrés de l'oreille des rois,
Et bientôt en oracle on érigea ma voix.
935 J'étudiai leur cœur, je flattai leurs caprices,
Je leur semai de fleurs les bords des précipices;
Près de[2] leurs passions rien ne me fut sacré;
De mesure et de poids je changeais à leur gré.
Autant que de Joad l'inflexible rudesse
940 De leur superbe[3] oreille offensait[4] la mollesse,
Autant je les charmais[5] par ma dextérité[6],
Dérobant à leurs yeux la triste[7] vérité,
Prêtant à leurs fureurs des couleurs[8] favorables,
Et prodigue surtout du sang des misérables[9].
945 Enfin[10], au dieu nouveau qu'elle avait introduit,

1. Tenir l'encensoir était l'une des prérogatives des prêtres. (Voir le deuxième livre des Chroniques, XXVI, 16-22); 2. *Près de :* auprès de, en regard de; 3. *Superbe :* voir vers 51 et la note; 4. *Offenser :* choquer, blesser; 5. *Charmer :* ici, subjuguer d'une manière irrésistible; 6. *Dextérité :* adresse d'esprit; 7. *Triste :* funeste, redoutable; 8. *Couleurs :* apparences, prétextes; 9. *Les misérables :* les malheureux. On peut rapprocher, pour l'idée comme pour l'expression, ce vers du vers 760 de *Britannicus*, prononcé par Narcisse : « Et pour nous rendre heureux, perdons les misérables »; 10. *Enfin :* à la fin.

QUESTIONS

● VERS 919-930. Le moment et le lieu sont-ils bien choisis pour que Mathan nous ouvre ainsi son cœur? — Est-il naturel qu'il reconnaisse aussi durement la fausseté de Baal (vers 920-922) devant un Ismaélite? — La façon qu'a Mathan de nommer ses sentiments n'est-elle pas surprenante, même devant un confident? Que suppose-t-elle entre les deux hommes? — Étudiez le rythme et la gradation des mots dans le vers 930.

● VERS 931-944. Le mot *oreille* (vers 933) fait-il image (à rapprocher du vers 940)? — Comment peut se justifier, psychologiquement, le style imagé du vers 936? — Le portrait du mauvais courtisan selon Racine, d'après les vers 932-938. — On peut rapprocher à tous les points de vue (idée et expression) le vers 944 du vers 760 de *Britannicus*. Mais Narcisse y est seul en scène, et son monologue est fort court. Les propos de Mathan ici ne semblent-ils pas forcés?

Par les mains d'Athalie un temple fut construit[1].
Jérusalem pleura de se voir profanée;
Des enfants de Lévi la troupe consternée
En poussa vers le ciel des hurlements affreux[2].
950 Moi seul, donnant l'exemple aux timides[3] Hébreux,
Déserteur de leur loi, j'approuvai l'entreprise,
Et par là de Baal méritai la prêtrise.
Par là je me rendis terrible à mon rival;
Je ceignis la tiare[4], et marchai[5] son égal.
955 Toutefois, je l'avoue, en ce comble de gloire,
Du Dieu que j'ai quitté l'importune mémoire
Jette encore en mon âme un reste de terreur;
Et c'est ce qui redouble et nourrit ma fureur[6].
Heureux si, sur son temple achevant ma vengeance,
960 Je puis convaincre enfin sa haine d'impuissance,
Et parmi le débris[7], le ravage et les morts,
A force d'attentats perdre tous mes remords!
Mais voici Josabet.

---

1. La Bible ne fournit pas précisément ce fait. Pareil événement n'est cependant pas rare dans l'histoire du peuple hébreu; et à la mort d'Athalie le temple de Baal fut bien détruit par le peuple. (Voir le deuxième livre des Rois, XI, 18); **2.** Par des cris effroyables. Le mot *hurlement* est du style noble; **3.** *Timide :* voir vers 667 et la note; **4.** *Tiare :* voir vers 28; **5.** Cet emploi poétique du verbe *marcher* suggère l'image d'une procession où les dignitaires de même rang s'avancent côte à côte; **6.** *Fureur :* voir vers 143 et la note; **7.** *Débris :* destruction (au singulier dans ce sens).

QUESTIONS

● VERS 945-963. Pourquoi Racine a-t-il imaginé que c'est Athalie qui a fait construire le temple de Baal (voir la note du vers 471)? — Quelle idée impose la répétition de *par là* (vers 952-953)? — A quels mots tient la valeur poétique du vers 954? — Que Mathan aille jusqu'à avouer ses remords, n'y a-t-il pas là quelque chose d'extraordinaire? Parle-t-il vraiment à Nabal, ici? — Quel effet produit la similitude des tours dans les vers 959 et 437? — Dans toute cette fin en particulier, le personnage de Mathan laisse une impression à la fois de grande vérité psychologique et d'incohérence, de bizarrerie : pourquoi?

■ SUR L'ENSEMBLE DE LA SCÈNE III. — Pour quelles raisons Racine a-t-il donné de telles dimensions à une scène qui pouvait n'être qu'une courte scène de transition?

— Distinguez-en les deux parties essentielles : les explications sur la conduite d'Athalie et la confession de Mathan. Montrez, à l'intérieur de chacune d'elles la rigueur de la composition.

— L'Académie jugeait, avec beaucoup de bon sens en apparence, que « Mathan se déclare ici très mal à propos le plus scélérat de tous les hommes, et il le fait sans aucune nécessité et sans utilité ». Quels sont les arguments qui permettent de réfuter cette opinion?

SCÈNE IV. — JOSABET, MATHAN, NABAL.

MATHAN

Envoyé par la reine
Pour rétablir le calme et dissiper la haine,
965 Princesse, en qui le ciel mit un esprit si doux,
Ne vous étonnez pas si je m'adresse à vous.
Un bruit, que j'ai pourtant soupçonné de mensonge,
Appuyant[1] les avis qu'elle a reçus en songe,
Sur Joad, accusé de dangereux complots,
970 Allait de sa colère attirer tous les flots.
Je ne veux point ici vous vanter mes services.
De Joad contre moi je sais les injustices;
Mais il faut à l'offense opposer les bienfaits.
Enfin je viens chargé de paroles de paix.
975 Vivez, solennisez[2] vos fêtes sans ombrage[3].
De votre obéissance elle ne veut qu'un gage :
C'est, pour l'en détourner j'ai fait ce que j'ai pu,
Cet enfant sans parents qu'elle dit qu'elle a vu[4].

JOSABET

Éliacin!

MATHAN

J'en ai pour elle quelque honte :
980 D'un vain songe peut-être elle fait trop de compte[5].
Mais vous vous déclarez ses mortels ennemis,
Si cet enfant sur l'heure en mes mains n'est remis.
La reine, impatiente, attend votre réponse.

JOSABET

Et voilà de sa part la paix qu'on nous annonce!

---

1. *Appuyer :* donner un soutien, un crédit à; 2. *Solenniser :* célébrer annuellement, avec cérémonie (voir *solennel* au vers 2); 3. *Ombrage :* inquiétude; 4. Cette construction était normale au XVIIe siècle. On dirait aujourd'hui : « qu'elle dit avoir vu »; 5. Elle tient trop de compte.

QUESTIONS

● VERS 963-978. Mettez en évidence l'hypocrisie, l'habileté dans la flatterie et la finesse psychologique de Mathan dans cette tirade. — Montrez, à partir du mot *calme* (vers 964) jusqu'au mot *paix* (vers 974), l'adresse de Mathan dans la composition de cet exorde. — Pourquoi la coupe normale du vers est-elle à deux reprises déplacée dans les vers 967 et 969? — Quel effet produit le rappel du vers 61 par le vers 970? La répétition à la même place du mot Joad aux vers 969 et 972? — Quel effet produit *c'est*, lancé en tête du vers 977? Qu'observe Mathan en signifiant enfin (vers 978) à Josabet l'ordre de la reine?

MATHAN

985 Pourriez-vous un moment douter[1] de l'accepter?
D'un peu de complaisance est-ce trop l'acheter?

JOSABET

J'admirais[2] si Mathan, dépouillant l'artifice[3],
Avait pu de son cœur surmonter l'injustice,
Et si de tant de maux le funeste inventeur
990 De quelque ombre de bien pouvait être l'auteur.

MATHAN

De quoi vous plaignez-vous? Vient-on avec furie
Arracher de vos bras votre fils Zacharie?
Quel est cet autre enfant si cher à votre amour?
Ce grand attachement me surprend à mon tour.
995 Est-ce un trésor pour vous si précieux, si rare?
Est-ce un libérateur que le ciel vous prépare?
Songez-y : vos refus pourraient me confirmer
Un bruit sourd que déjà l'on commence à semer.

JOSABET

Quel bruit?

MATHAN

Que cet enfant vient d'illustre origine;
1000 Qu'à quelque grand projet votre époux le destine.

JOSABET

Et Mathan, par ce bruit qui flatte[4] sa fureur...

---

1. *Douter de :* hésiter à; **2.** J'aurais été étonnée si; la langue classique emploie parfois l'imparfait de l'indicatif pour le conditionnel à valeur d'irréel; **3.** *Artifice :* déguisement, esprit de ruse; **4.** *Flatter :* encourager.

QUESTIONS

● VERS 979-990. Pourquoi Mathan fait-il semblant de juger avec quelque hauteur la conduite de la reine (vers 979-980)? — Montrez la brutalité de l'ultimatum par les mots placés à la césure dans les vers 982-983. — Le vers 984 est-il un cri spontané chez Josabet ou cherche-t-elle à éviter de répondre? — Quel aveu Mathan veut-il obtenir par les vers 985-986? — Josabet répond-elle à ses interrogations pressantes? Quel trait de son caractère apparaît bien ici?

● VERS 991-1000. Qu'espère Mathan en révélant ses soupçons à Josabet avec autant de violence? Marquez, dans l'enjambement du vers 991, dans les tours et les répétitions, l'insistance enveloppante de Mathan. — Les vers 999-1000 sont un mensonge de Mathan (v. vers 894) : pourquoi est-il raisonnable qu'il l'essaie sur Josabet?

« ATHALIE »
à la Comédie-Française

Décor de Carzou (1955)

Phot. Bernand.

MATHAN

Princesse, c'est à vous à me tirer d'erreur.
Je sais que, du mensonge implacable ennemie,
Josabet livrerait même sa propre vie,
1005 S'il fallait que sa vie à sa sincérité
Coûtât le moindre mot contre la vérité.
Du sort[1] de cet enfant on n'a donc nulle trace?
Une profonde nuit enveloppe sa race?
Et vous-même ignorez de quels parents issu[2],
1010 De quelles mains Joad en ses bras l'a reçu?
Parlez; je vous écoute et suis prêt de[3] vous croire.
Au Dieu que vous servez, princesse, rendez gloire.

JOSABET

Méchant[4], c'est bien à vous d'oser ainsi nommer
Un Dieu que votre bouche enseigne à blasphémer.
1015 Sa vérité par vous peut-elle être attestée[5],
Vous, malheureux, assis dans la chaire empestée[6]
Où le mensonge règne et répand son poison;
Vous, nourri dans la fourbe[7] et dans la trahison?

---

1. *Sort :* état, famille; 2. *Issu* se rapporte à *le* (désignant l'enfant) du vers 1010. (Voir une construction semblable vers 697); 3. *Prêt de :* prêt à. Voir vers 58 et la note; 4. *Méchant :* impie; 5. *Attestée :* invoquée en témoignage; 6. Psaumes, I, 1 : « Heureux l'homme [...] qui ne s'est point assis dans la chaire de contagion et de peste »; 7. *Fourbe :* fourberie.

QUESTIONS

● VERS 1001-1018. Josabet se montre, au vers 1001, d'une remarquable habileté : pourquoi? — L'interruption de Mathan, le titre de *Princesse*, tout semble montrer que la fin de la scène approche : quelle fin attend-on? — Pourquoi Mathan dit-il *Josabet* et non *vous* (vers 1004)? — N'y a-t-il qu'une flatterie dans l'amour de la vérité loué par Mathan chez Josabet? — A quoi tient la solennité sinistre du vers 1012? — Quel sentiment éprouve le spectateur à voir, une fois de plus, au vers 1013 Josabet échapper à Mathan? Comment évite-t-elle le dilemme où il essayait de l'enfermer? Montrez, dans la répétition de *vous* (vers 1016 et 1018) et la violence des expressions employées, comment se révèle à nous une nouvelle Josabet, digne épouse de Joad et digne mère de Zacharie.

■ SUR L'ENSEMBLE DE LA SCÈNE IV. — Cette scène est d'un effet dramatique puissant. A quoi tient-il?

— Si Mathan s'y montre égal à lui-même, une nouvelle Josabet apparaît : comment? Qu'est-ce qui permettait déjà d'en soupçonner l'existence?

SCÈNE V. — JOAD, JOSABET, MATHAN, NABAL.

JOAD

Où suis-je? De Baal ne vois-je pas le prêtre?
1020 Quoi! fille de David, vous parlez à ce traître?
Vous souffrez qu'il vous parle? Et vous ne craignez pas
Que, du fond de l'abîme entr'ouvert sous ses pas,
Il ne sorte à l'instant des feux qui vous embrasent,
Ou qu'en tombant sur lui, ces murs ne vous écrasent?
1025 Que veut-il? De quel front[1] cet ennemi de Dieu
Vient-il infecter l'air qu'on respire en ce lieu?

MATHAN

On reconnaît Joad à cette violence.
Toutefois il devrait montrer plus de prudence,
Respecter une reine, et ne pas outrager
1030 Celui que de son ordre elle a daigné charger.

JOAD

Hé bien! que nous fait-elle annoncer de sinistre?
Quel sera l'ordre affreux qu'apporte un tel ministre[2]?

MATHAN

J'ai fait à Josabet savoir sa volonté.

JOAD

Sors donc de devant moi, monstre d'impiété.
1035 De toutes tes horreurs, va, comble[3] la mesure.
Dieu s'apprête à te joindre à la race parjure,
Abiron et Dathan, Doëg, Achitophel[4].
Les chiens, à qui son bras a livré Jézabel,

1. *De quel front :* avec quelle audace; 2. *Ministre :* voir vers 573 et la note; 3. *Combler :* remplir; 4. *Abiron* et *Dathan* se soulevèrent contre Moïse et Aaron; la Terre s'ouvrit sous leurs pas et les dévora (Nombres, XVI). *Doëg* accusa, auprès de Saül, Abimélech d'avoir secouru David fugitif; chargé de la vengeance de Saül, il massacra Abimélech et quatre-vingt-cinq prêtres (premier livre de Samuel, XXII, 9 et suivants). *Achitophel* prit contre David le parti du fils de ce dernier, Absalon, et se pendit de désespoir lorsqu'il vit que le jeune homme ne suivait plus ses conseils (deuxième livre de Samuel, XV, 12 et suivants).

QUESTIONS

● VERS 1019-1030. Comment est exprimée la véhémence de Joad? L'effet produit par la place de *Baal* à la coupe (vers 1019), par la périphrase du vers 1020, la rime *prêtre-traître* et par l'ampleur du mouvement qui suit. — Expliquez la puissance poétique des vers 1022-1024. — Qu'impose le rapprochement entre le vers 1026 et l'adjectif final du vers 1016? — Comment Mathan accueille-t-il les violences de Joad? A quel sentiment fait-il appel chez le grand prêtre (vers 1027-1030)?

Attendant que sur toi sa fureur se déploie,
1040 Déjà sont à ta porte et demandent leur proie.

MATHAN *(Il se trouble.)*

Avant la fin du jour... on verra qui de nous...
Doit... Mais sortons, Nabal.

WARNING - CONFRONTATION

NABAL

Où vous égarez-vous?
De vos sens étonnés[1] quel désordre[2] s'empare?
Voilà votre chemin.

SCÈNE VI. — JOAD, JOSABET.

JOSABET

L'orage se déclare.
1045 Athalie en fureur demande Éliacin.
Déjà de sa naissance et de votre dessein
On commence, seigneur, à percer le mystère!
Peu s'en faut que Mathan ne m'ait nommé son père.

JOS THINKS THEY KNOW WHO HE IS.

1. *Étonnés :* voir vers 414 et la note; 2. *Désordre :* voir vers 507 et la note.

QUESTIONS

● VERS 1031-1044. Dans quelle mesure Joad s'apaise-t-il aux vers 1031-1032? — Pourquoi Mathan ne répète-t-il pas à Joad l'ordre de la reine? — Qu'est-ce qui explique le déchaînement final de Joad? Étudiez, dans le rythme des vers, la force de ces imprécations. — Les spectateurs du XVIIe siècle connaissaient-ils mieux que nous les personnages nommés au vers 1037? Quel effet était-il destiné à produire? A quoi tient la force poétique de la nouvelle évocation des chiens qui ont déchiré Jézabel? Dans quelle mesure peut-on songer à un rapprochement avec *les Euménides* d'Eschyle? — Le trouble de Mathan est un coup de théâtre : comment a-t-il été cependant soigneusement préparé par Racine? Quel jeu de scène implique le début du vers 1044?

■ SUR L'ENSEMBLE DE LA SCÈNE V. — Quel moment Racine choisit-il pour faire intervenir Joad? Faut-il supposer qu'un pressentiment l'a averti du danger ou que, épiant son ennemi, il attendait non loin de là le moment opportun d'apparaître?

— La signification de ce heurt entre les deux adversaires en plein centre de la tragédie : au bénéfice de qui se termine le choc entre les deux puissances que chacun d'eux symbolise?

JOAD

Au perfide Mathan qui l'aurait révélé?
1050 Votre trouble à Mathan n'a-t-il point trop parlé?

JOSABET

J'ai fait ce que j'ai pu pour m'en rendre maîtresse.
Cependant, croyez-moi, seigneur, le péril presse.
Réservons cet enfant pour un temps plus heureux.
Tandis que les méchants délibèrent entre eux,
1055 Avant qu'on l'environne, avant qu'on nous l'arrache,
Une seconde fois souffrez que je le cache.
Les portes, les chemins lui sont encore ouverts.
Faut-il le transporter aux plus affreux déserts?
Je suis prête. Je sais une secrète issue
1060 Par où, sans qu'on le voie, et sans être aperçue,
De Cédron[1] avec lui traversant le torrent,
J'irai dans le désert[2] où jadis en pleurant,
Et cherchant comme nous son salut dans la fuite,
David d'un fils rebelle[3] évita la poursuite.
1065 Je craindrai moins pour lui les lions et les ours[4]...
Mais pourquoi de Jéhu refuser le secours?
Je vous ouvre peut-être un avis salutaire.
Faisons de ce trésor Jéhu dépositaire.
On peut dans ses États le conduire aujourd'hui,
1070 Et le chemin est court[5] qui mène jusqu'à lui.
Jéhu n'a point un cœur farouche[6], inexorable;
De David à ses yeux le nom est favorable[7].
Hélas! est-il un roi si dur et si cruel,
A moins qu'il n'eût pour mère une autre Jézabel,
1075 Qui d'un tel suppliant ne plaignît[8] l'infortune?

---

1. *De Cédron* : du Cédron; omission fréquente de l'article dans ce cas au XVIIe siècle. Le Cédron est un torrent très encaissé dont la vallée sépare, à l'est, Jérusalem du mont des Oliviers; 2. *Le désert* : celui d'Engaddi, entre Jérusalem et Jéricho; 3. *Un fils rebelle* : Absalon. Voir la note du vers 1037; 4. *Ours* : l'*s* ne se prononçait pas au XVIIe siècle; 5. Samarie, capitale du royaume d'Israël, n'était guère qu'à une cinquantaine de kilomètres au nord-est de Jérusalem. Sur Israël et sur Jéhu, voir Lexique, page 27; 6. *Farouche* : sauvage; 7. *Favorable* : qui attire la faveur, sympathique; 8. *Plaignît* : plaindrait.

QUESTIONS

● VERS 1044-1050. L'image du vers 1044 est-elle naturelle dans la bouche de Josabet? — Dans les vers 1048-1050, trois fois et à la même place, le nom de Mathan est répété : étudiez l'effet recherché par Racine.

Sa cause à tous les rois n'est-elle pas commune[1]?

JOAD

Quels timides[2] conseils m'osez-vous suggérer?
En l'appui de Jéhu pourriez-vous espérer?

JOSABET

Dieu défend-il tout soin et toute prévoyance?
1080 Ne l'offense-t-on point par trop de confiance?
A ses desseins sacrés employant les humains,
N'a-t-il pas de Jéhu lui-même armé les mains[3]?

JOAD

Jéhu, qu'avait choisi sa sagesse profonde,
Jéhu, sur qui je vois que votre espoir se fonde,
1085 D'un oubli trop ingrat a payé ses bienfaits.
Jéhu laisse d'Achab l'affreuse fille en paix,
Suit des rois d'Israël les profanes exemples,
Du vil dieu de l'Égypte a conservé les temples[4];
Jéhu, sur les hauts lieux[5] enfin osant offrir
1090 Un téméraire encens que Dieu ne peut souffrir,
N'a pour servir sa cause et venger ses injures[6]
Ni le cœur assez droit, ni les mains assez pures.
Non, non; c'est à Dieu seul qu'il nous faut attacher.
Montrons Éliacin; et, loin de le cacher[7],
1095 Que du bandeau royal sa tête soit ornée.

1. On a vu dans ce vers une allusion à la générosité de Louis XIV à l'égard du roi déchu Jacques II d'Angleterre; 2. *Timide :* peureux, suggéré par la peur; 3. Un disciple d'Élisée avait consacré Jéhu roi, avec mission de lutter contre la maison d'Achab (deuxième livre des Rois, IX, 1 et suivants); 4. Deuxième livre des Rois, X, 29 : « [Jéhu] n'abandonna pas les veaux d'or qui étaient à Béthel et à Dan »; 5. *Les hauts lieux :* sommets des collines ou des montagnes où il était impie de sacrifier depuis la construction du temple; 6. *Ses injures :* les outrages que l'on a faits à Dieu; 7. *Loin de le cacher :* loin que nous le cachions. Construction plus libre qu'aujourd'hui, le sujet du verbe à mode personnel n'étant pas le même que celui de l'infinitif (voir vers 697).

QUESTIONS

● VERS 1050-1076. La proposition de Josabet est-elle déraisonnable? Est-elle impie? — Montrez, dans les cassures du rythme, dans les répétitions de mots et de tours, l'agitation de Josabet. — Que suggèrent les points de suspension à la fin du vers 1065 et le rapprochement de ce vers avec le vers 642? — De quel ordre sont les différentes raisons avancées par Josabet pour aller demander l'appui de Jéhu? — L'allusion politique qu'on a vue dans le vers 1076 (v. note 1) est-elle plausible, étant donné les circonstances des premières représentations d'*Athalie?*

Je veux même avancer l'heure déterminée[1],
Avant que de Mathan le complot soit formé.

SCÈNE VII. — JOAD, JOSABET, AZARIAS *suivi du chœur et de plusieurs lévites.*

JOAD

Hé bien, Azarias, le temple est-il fermé?

AZARIAS

J'en ai fait devant moi fermer toutes les portes[2].

JOAD

1100 N'y reste-t-il que vous et vos saintes cohortes[3]?

AZARIAS

De ses parvis sacrés j'ai deux fois fait le tour.
Tout a fui, tous se sont séparés sans retour,

---

1. *Déterminée :* fixée (pour le couronnement de Joas); 2. Le temple avait quatre grandes portes aux quatre points cardinaux; 3. *Cohortes :* groupes armés (au sens général).

QUESTIONS

● VERS 1077-1097. Quel est le reproche essentiel de Joad à Josabet suggéré par l'adjectif *timides?* — N'est-ce pas la voix du bon sens que fait entendre Josabet? — Quel sentiment traduit la quadruple répétition du mot *Jéhu* au début des vers 1083-1084, 1086, 1089? — L'effet obtenu par l'étonnante régularité dans l'emploi de l'inversion à la césure (vers 1085-1089). — Étudiez l'ampleur du début de la tirade de Joad et la majesté régulière de sa chute dans les vers 1091-1092. — Comment se justifie (vers 1096) l'accélération du mouvement dramatique?

■ SUR L'ENSEMBLE DE LA SCÈNE VII. — Le tragique de cette scène : sans qu'on puisse parler de conflit ni même de désaccord entre Joad et Josabet, pourquoi ne sauraient-ils l'un et l'autre envisager, de la même façon, la manière de sortir d'un danger devenu imminent?

— Dans quelle mesure les événements justifient-ils les craintes qu'exprimait Josabet à la scène II de l'acte premier? Pourquoi propose-t-elle maintenant à Joad une solution concrète (la fuite auprès de Jéhu), qu'elle essaie de justifier par des arguments capables de toucher le grand prêtre? Comment l'amour maternel de Josabet se manifeste-t-il ici?

— La détermination de Joad : quelle leçon tire-t-il des événements? Puisque Azarias va rentrer aussitôt en annonçant l'exécution d'un ordre antérieurement donné, l'inutilité de la proposition de Josabet est manifeste : pourquoi cependant fallait-il qu'elle fût faite?

Misérable troupeau qu'a dispersé la crainte;
Et Dieu n'est plus servi que dans la tribu sainte[1].
1105 Depuis qu'à Pharaon[2] ce peuple est échappé[3],
Une égale terreur ne l'avait point frappé.

JOAD

Peuple lâche, en effet, et né pour l'esclavage,
Hardi contre Dieu seul! Poursuivons notre ouvrage.
Mais qui[4] retient encor ces enfants parmi nous?

UNE DES FILLES DU CHŒUR

1110 Hé! pourrions-nous, seigneur, nous séparer de vous.
Dans le temple de Dieu sommes-nous étrangères?
Vous avez près de vous nos pères et nos frères.

UNE AUTRE

Hélas! si pour venger l'opprobre d'Israël[5],
Nos mains ne peuvent pas, comme autrefois Jahel[6],
1115 Des ennemis de Dieu percer la tête impie,
Nous lui pouvons du moins immoler notre vie.
Quand vos bras combattront pour son temple attaqué,
Par nos larmes du moins il peut être invoqué.

JOAD

Voilà donc quels vengeurs s'arment pour ta querelle[7]!
1120 Des prêtres, des enfants, ô Sagesse éternelle!
Mais, si tu les soutiens, qui les peut ébranler?

1. *La tribu sainte :* celle de Lévi; 2. *Pharaon :* voir vers 403 et la note; 3. *Est échappé :* a échappé. Sur la sortie d'Égypte et la terreur des Hébreux poursuivis par les Égyptiens, voir Exode, XIV, 11; 4. *Qui :* qu'est-ce qui; voir note du vers 869; 5. *Israël :* voir vers 767 et la note; 6. *Jahel :* femme juive qui attira dans sa tente Pisara, général vaincu du roi de Chanaan, puis le tua dans son sommeil (Juges, IV); 7. *Querelle :* cause.

QUESTIONS

● VERS 1097-1108. Avec la fermeture du temple, la situation devient critique : de quel espoir la dispersion des Hébreux (vers 1102) prive-t-elle le parti du grand prêtre? — Quelles réflexions vous inspire le mépris d'Azarias pour le peuple craintif? Rapprochez la comparaison qu'il emploie (vers 1105) avec celle de Zacharie au vers 403. — Quelle impression produit, dans le vers 1108, la sérénité du second hémistiche, après la brutalité des deux vers précédents?

● VERS 1109-1118. Pourquoi Racine tient-il une fois de plus à justifier la présence du chœur? — Joad peut-il goûter beaucoup les propositions des vers 1116 et 1118? Après la dispersion des Hébreux, ne faisons-nous pas ainsi une nouvelle avancée dans les raisons de désespérer?

Du tombeau, quand tu veux, tu sais nous rappeler;
Tu frappes et guéris, tu perds[1] et ressuscites.
Ils ne s'assurent point en[2] leurs propres mérites,
1125 Mais en ton nom sur eux invoqué tant de fois,
En tes serments jurés au plus saint de leurs rois[3],
En ce temple[4] où tu fais ta demeure sacrée,
Et qui doit du soleil égaler la durée[5].
Mais d'où vient que mon cœur frémit d'un saint effroi?
1130 Est-ce l'Esprit divin qui s'empare de moi?
C'est lui-même. Il m'échauffe. Il parle. Mes yeux s'ouvrent,
Et les siècles obscurs devant moi se découvrent.
Lévites, de vos sons prêtez-moi les accords,
Et de ses mouvements[6] secondez les transports.

LE CHŒUR *chante au son de toute la symphonie des instruments.*

1135 Que du Seigneur la voix se fasse entendre,
Et qu'à nos cœurs son oracle divin
Soit ce qu'à l'herbe tendre
Est, au printemps, la fraîcheur du matin[7].

JOAD

Cieux, écoutez ma voix[8]; terre, prête l'oreille.
1140 Ne dis plus, ô Jacob[9], que ton Seigneur sommeille.
Pécheurs, disparaissez : le Seigneur se réveille.

---

1. *Perdre :* faire périr, tuer; 2. Ils ne mettent pas leur confiance dans...; 3. Série d'antithèses bibliques. Deutéronome, XXXII, 39 : « C'est moi qui tuerai et c'est moi qui ferai vivre; je frapperai et c'est moi qui guérirai »; 4. Deuxième livre des Chroniques, XXXIII, 7. (Note manuscrite de Racine); 5. Psaumes, LXXXVIII, 37; 6. *Ses mouvements :* ceux de l'Esprit divin; 7. Deutéronome, XXXII, 2 : « Que ma parole coule comme la pluie sur la terre et comme les gouttes de rosée sur le gazon »; 8. Voir les lignes 134-165 de la Préface, pages 37-38, pour toute cette prophétie. Elle s'inspire dans ce début notamment du Deutéronome (XXXII, 1), d'Isaïe (I, 2), des Psaumes (LXXVII, 65). Pour toute cette prophétie, véritable centon de passages de l'Écriture, voir la Documentation thématique; 9. *Jacob :* peuple de Jacob. Jacob est le fils d'Isaac et le père de Joseph.

QUESTIONS

● VERS 1119-1134. Montrez que les vers 1119-1120 sont les seuls de la pièce où l'assurance de Joad en son Dieu n'est pas manifeste : comment Racine prépare-t-il ainsi, indirectement, déjà la prophétie? — Pourquoi, à partir du vers 1121, Joad parle-t-il à Dieu et oublie-t-il les autres? Quels sont les thèmes de sa méditation? Montrez qu'ils récapitulent tous les thèmes essentiels de la pièce. — Le *Mais* du vers 1129 marque une nouvelle étape vers la prophétie : laquelle? — Quel effet produit le contraste de rythme entre les vers 1131 et 1132? — Pourquoi Racine a-t-il tenu à la fin du vers 1131 à marquer le caractère matériel, sensoriel, de ce qu'éprouve Joad ainsi que sa pleine lucidité devant l'événement puisqu'il demande aux lévites le soutien de la musique?

(Ici recommence la symphonie, et Joad aussitôt reprend la parole.)

Comment en un plomb vil[1] l'or pur s'est-il changé?
Quel est dans le lieu saint ce pontife égorgé[2]?
Pleure, Jérusalem, pleure, cité perfide,
1145 Des prophètes divins malheureuse homicide[3].
De son amour pour toi ton Dieu s'est dépouillé.
Ton encens à ses yeux est un encens souillé[4].
Où menez-vous ces enfants et ces femmes[5]?
Le Seigneur a détruit la reine des cités :
1150 Ses prêtres sont captifs, ses rois sont rejetés.
Dieu ne veut plus qu'on vienne à ses solennités[6].
Temple, renverse-toi; cèdres[7], jetez des flammes.
Jérusalem, objet de ma douleur,
Quelle main en ce jour t'a ravi tous tes charmes[8]?
1155 Qui changera mes yeux en deux sources de larmes[9]
Pour pleurer ton malheur?

AZARIAS

O saint temple!

JOSABET

O David!

LE CHŒUR

Dieu de Sion, rappelle[10],

---

1. Jérémie, IV, 1 : « Comment l'or s'est-il obscurci? »; 2. Zacharie, le propre fils de Joad, devait être tué dans le temple sur l'ordre de Joas à qui il reprochait ses impiétés. (Voir Chroniques, II, XXIV, 20, page 151); 3. Voir Évangile de saint Matthieu, XXIII, 37 : « Jérusalem, Jérusalem qui tues les prophètes »; 4. Isaïe, I, 13; 5. Captivité de Babylone (note de Racine). La prise et la destruction de Jérusalem par Nabuchodonosor (587 av. J.-C.) furent suivies de la déportation des habitants; 6. Isaïe, I, 14. (Voir la Documentation thématique); 7. Le temple était lambrissé et couvert de bois de cèdre; 8. *Charmes :* ici, puissants attraits; 9. Jérémie, IX, 1 : « Qui donnera de l'eau à ma tête, et à mes yeux une source de larmes? »; 10. *Rappeler :* faire revenir.

QUESTIONS

● VERS 1135-1141. Comment imaginez-vous ici la musique et les chants qui se font entendre, d'après l'idée et l'image des vers 1135-1138 et, d'une manière plus générale, la mise en scène de toute cette prophétie de Joad? — Pourquoi les vers 1139-1141 n'appartiennent-ils pas encore à la prophétie? La puissance et la simplicité des appels de Joad : l'univers cosmique, le monde humain; l'effet produit par le mot *Jacob* pour désigner les Juifs, et par la répétition de *Seigneur*.

Rappelle en sa faveur tes antiques bontés.

(La symphonie recommence encore, et Joad, un moment après, l'interrompt.)

JOAD

• Quelle Jérusalem nouvelle[1]
1160 Sort du fond du désert brillante de clartés,
Et porte sur le front une marque immortelle?
Peuples de la terre, chantez.
Jérusalem renaît plus charmante[2] et plus belle.
D'où lui viennent de tous côtés
1165 Ces enfants qu'en son sein elle n'a point portés[3]?
Lève, Jérusalem[4], lève ta tête altière;
Regarde tous ces rois de ta gloire étonnés[5] :
Les rois des nations, devant toi prosternés,
De tes pieds baisent la poussière[6];
1170 Les peuples à l'envi marchent à ta lumière.
Heureux qui pour Sion d'une sainte ferveur
Sentira son âme embrasée!

---

1. L'Église (note de Racine). L'Apocalypse, XXI, 2 : « J'ai vu la cité sainte, la Jérusalem nouvelle, descendant du ciel, venant de Dieu », et Cantique des Cantiques, III, 6 : « Qui est celle-ci s'élevant du désert comme une fumée qui monte des parfums d'encens et de myrrhe? »; **2.** Voir vers 1154; **3.** « Les Gentils » (note de Racine). C'est-à-dire ceux qui ne descendaient pas de Jacob, les autres nations que le peuple juif; **4.** Isaïe, XLIX, 18 et 21, et LX, 1. (Voir la Documentation thématique); **5.** *Etonné :* voir vers 414 et la note; **6.** Isaïe, XLIX, 23. (Voir la Documentation thématique.)

QUESTIONS

● VERS 1142-1158. Joad voit-il du plomb et de l'or au vers 1142? L'image n'est-elle pas ici plutôt une manière de dissimuler une vérité terrible? Hésite-t-il vraiment (vers 1143) sur l'identité du prêtre égorgé? — L'effet produit dans la lamentation des vers 1144-1145 par la répétition et la place de *pleure*, les allitérations, les sonorités. — Pourquoi Racine avait-il déjà, dans les vers 85 et 1090, préparé les vers 1146-1147? — Quelle est la deuxième vision de Joad? — Les images qui se profilent derrière les vers 1151-1152 ne sont pas nouvelles pour le spectateur (voir, par exemple, les vers 1-3 et 1023-1024) : quelle est ici l'intention de Racine? — Étudiez la valeur poétique de la personnification de Jérusalem, des deux images et des changements de rythme dans les vers 1153-1156. — Montrez comment ce premier volet de la prophétie est construit à partir de deux visions (vers 1142-1143 et vers 1148-1150), suivies toutes deux de lamentations particulières et terminées par une lamentation générale. — Que représente l'intervention des assistants et du chœur (vers 1157-1158)?

Cieux, répandez votre rosée,
Et que la terre enfante son Sauveur[1] !

JOSABET

1175 Hélas ! d'où nous viendra cette insigne faveur,
Si les rois de qui doit descendre ce Sauveur...

JOAD

Préparez, Josabet, le riche diadème
Que sur son front sacré David porta lui-même[2].

(Aux lévites.)

Et vous, pour vous armer, suivez-moi dans ces lieux
1180 Où se garde caché, loin des profanes yeux,
Ce formidable amas de lances et d'épées[3]
Qui du sang philistin[4] jadis furent trempées,
Et que David vainqueur, d'ans et d'honneurs chargé,
Fit consacrer au Dieu qui l'avait protégé.
1185 Peut-on les employer pour un plus noble usage ?
Venez, je veux moi-même en faire le partage.

1. Isaïe, XLV, 8. (Voir la Documentation thématique); **2.** Le deuxième livre des Rois (XI, 12) parle du diadème de Joas, mais n'en fait pas celui de David; **3.** Deuxième livre des Chroniques, XXIII, 9. (Voir la Documentation thématique); **4.** Les Philistins furent en lutte contre les Hébreux au temps des Juges (Samson) et furent vassalisés au temps de David (Xe siècle av. J.-C.).

QUESTIONS

● VERS 1159-1174. L'effet produit par le contraste de cette seconde vision avec la première. Comment Racine avait-il préparé cette radieuse image ? — Montrez comment, à partir de *charmante* (vers 1163), du premier hémistiche du vers 1166, de *rois* (vers 1167-1168), de *Cieux* (vers 1173) et de *terre* (vers 1174), Racine s'est attaché à reprendre très précisément, dans ce second volet de la prophétie, les termes et les tours du premier; le plan lui-même n'est-il pas identique : deux visions (vers 1159-1160 et 1164-1165), suivies toutes deux d'exclamations de louange et terminées par un chant de gloire ? — Effet de l'allitération en *s* et du changement de rythme dans les vers 1171-1172. — Comment, par le même mouvement, les deux derniers vers de la prophétie élargissent-ils démesurément la portée de la pièce et nous font-ils aussi rentrer dans le drame ?

● VERS 1175-1186. Pourquoi Joad ne répond-il pas à Josabet ? Quel effet est obtenu par la brutalité du retour au réel et à l'action précise chez le grand prêtre ? — A propos du vers 1181, on a pu écrire : « Admirons au passage ce vers signé Hugo : de pareils abondent dans *Athalie*. » Pouvez-vous en citer d'autres ? — Une fois de plus, bien qu'à la fin de l'acte, la sortie du personnage est justifiée (vers 1186) : pourquoi ?

SCÈNE VIII. — SALOMITH, LE CHŒUR.

SALOMITH

Que de craintes, mes sœurs, que de troubles mortels!
Dieu tout-puissant, sont-ce là les prémices[1],
Les parfums et les sacrifices
1190 Qu'on devait en ce jour offrir sur tes autels?

UNE DES FILLES DU CHŒUR

Quel spectacle à nos yeux timides!
Qui l'eût cru[2], qu'on dût voir jamais
Les glaives meurtriers, les lances homicides
Briller dans la maison de paix?

---

1. *Les prémices :* voir vers 11 et la note; 2. Le pronom *le* annonce toute la proposition subordonnée qui va suivre (construction fréquente en latin).

QUESTIONS

■ SUR L'ENSEMBLE DE LA SCÈNE VII. — Montrez, dans le souci des préparations lointaines et proches comme dans l'utilisation des textes bibliques, l'ampleur des précautions prises par Racine pour que cette prophétie soit recevable par le spectateur.

— Racine lui-même n'en reconnaît-il pas en quelque sorte l'absence de valeur proprement dramatique lorsque, dans sa Préface, il la qualifie d'*épisode?* Peut-on aller plus loin et dire, avec d'Alembert (*Lettre* à Voltaire, 11 décembre 1769) : « A quoi sert toute cette prophétie de Joad, qu'à faire languir l'action qui n'est déjà pas trop animée? »

— Peut-on la justifier comme Francisque Sarcey (*le Temps*, 8 octobre 1873), qui n'y voyait qu'un moyen pour Joad, « magnifique charlatan qui est de bonne foi », de « frapper un grand coup, d'enflammer les imaginations, d'étourdir, d'éblouir, de surexciter » ses troupes?

— En prenant ses distances à l'égard de l'action immédiate de sa pièce, Racine n'a-t-il pas voulu surtout accroître l'émotion du spectateur et lui faire voir clairement le sens profond du drame qui se joue? Iriez-vous jusqu'à soutenir l'opinion de Thierry Maulnier qui écrit, dans *le Figaro littéraire* du 7 octobre 1961, que toute la pièce s'ordonne autour de la vision de Joad : « Ces deux strophes de visionnaires rassemblent en elles non seulement le sens de la tragédie, mais le mouvement théâtral qui lui est propre — unique dans l'œuvre de Racine — et sa respiration profonde. »

— Comparez, du point de vue du rôle dans l'action et surtout de l'expression du lyrisme, la prophétie de Joad et les stances de Polyeucte.

UNE AUTRE

1195 D'où vient que pour son Dieu, pleine d'indifférence[1],
Jérusalem[2] se tait en ce pressant danger?
D'où vient, mes sœurs, que, pour nous protéger,
Le brave Abner au moins ne rompt pas le silence?

SALOMITH

Hélas! dans une cour où l'on n'a d'autres lois
1200 Que la force et la violence,
Où les honneurs et les emplois
Sont le prix d'une aveugle et basse obéissance[3],
Ma sœur, pour la triste[4] innocence
Qui voudrait élever sa voix[5]?

UNE AUTRE

1205 Dans ce péril, dans ce désordre[6] extrême,
Pour qui prépare-t-on le sacré diadème[7]?

SALOMITH

Le Seigneur a daigné parler;
Mais ce qu'à son prophète il vient de révéler,
Qui pourra nous le faire entendre[8]?
1210 S'arme-t-il pour nous défendre?
S'arme-t-il pour nous accabler?

TOUT LE CHŒUR *chante.*

O promesse! ô menace! ô ténébreux mystère!
Que de maux, que de biens sont prédits tour à tour!

---

1. Cette strophe et la suivante ont paru pour la première fois dans l'édition de 1692; **2.** *Jérusalem :* il s'agit ici du peuple hébreu en général; **3.** On a vu, dans cette strophe et la précédente, des allusions contemporaines, et en particulier une certaine protestation janséniste; **4.** *Triste :* voué au malheur; **5.** *Sa voix :* la voix. Le XVIIe siècle employait souvent dans ce cas l'adjectif possessif au lieu de l'article défini; **6.** *Désordre :* trouble; **7.** *Le sacré diadème :* le diadème sacré; **8.** *Entendre :* comprendre.

QUESTIONS

● VERS 1187-1211. Quel rôle joue ici Salomith, conformément à la volonté exprimée par Racine dans sa Préface (lignes 125-133)? — Montrez comment les vers 1192-1198 rattachent étroitement ce chœur à l'action de la pièce. — Quel effet est obtenu par les changements de rythme dans le couplet de Salomith (vers 1199-1204)? — Après les réactions suscitées par les épées et le diadème, Salomith revient pour essayer de répondre à la question des vers 1205-1206, à la prophétie et aux mystères qu'elle pose : comment le rythme et les répétitions traduisent-ils l'émotion de la jeune fille?

Comment peut-on avec tant de colère
1215 Accorder tant d'amour?

UNE VOIX, *seule.*

Sion ne sera plus. Une flamme cruelle
Détruira tous ses ornements.

UNE AUTRE VOIX

Dieu protège Sion. Elle a pour fondements
Sa parole éternelle.

LA PREMIÈRE

1220 Je vois tout son éclat disparaître à mes yeux.

LA SECONDE

Je vois de toutes parts sa clarté répandue.

LA PREMIÈRE

Dans un gouffre profond Sion est descendue.

LA SECONDE

Sion a son front dans les cieux.

LA PREMIÈRE

Quel triste abaissement!

LA SECONDE

Quelle immortelle gloire!

LA PREMIÈRE

1225 Que de cris de douleur!

LA SECONDE

Que de chants de victoire!

UNE TROISIÈME

Cessons de nous troubler : notre Dieu, quelque jour,
Dévoilera ce grand mystère.

QUESTIONS

● VERS 1212-1236. L'indication scénique *chante* signifie-t-elle que tout ce qui a précédé était seulement parlé? — Effet poétique obtenu en confiant à deux voix rapidement alternées le commentaire de chacun des deux tableaux de la prophétie : pourquoi la stichomythie est-elle de plus en plus pressante? — Montrez comment les vers 1228-1230, qui concilient les deux mouvements opposés, constituent en fait l'affirmation essentielle des religions juives et chrétiennes : comment, par la place qu'il lui donne dans la pièce, Racine lui a-t-il conféré tout son relief? — Pourquoi, contrairement aux deux premiers, ce chœur se termine-t-il sur un solo? A quoi tient la fluidité musicale de ce dernier couplet?

 POMPOUS !!!

TOUTES TROIS

Révérons sa colère;
Espérons en son amour.

UNE AUTRE

1230 D'un cœur qui t'aime,
Mon Dieu, qui peut troubler la paix?
Il cherche en tout ta volonté suprême,
Et ne se cherche jamais.
Sur la terre, dans le ciel même,
1235 Est-il d'autre bonheur que la tranquille paix
D'un cœur qui t'aime?

ACTE IV

SCÈNE PREMIÈRE. — JOAS, JOSABET, ZACHARIE, SALOMITH, UN LÉVITE, LE CHŒUR.

SALOMITH

D'un pas majestueux, à côté de ma mère,
Le jeune Éliacin s'avance avec mon frère.
Dans ces voiles, mes sœurs, que portent-ils tous deux?
1240 Quel est ce glaive enfin qui marche devant eux[1]?
TO KILL ATHALIE

1. Louis Racine remarque : « Comme le glaive était porté en cérémonie, cette expression est aussi juste que poétique. »

QUESTIONS

■ SUR L'ENSEMBLE DE L'ACTE III. — Comment l'action s'est-elle accélérée dans cet acte? Si l'on considère la prophétie de Joad, l'affirmation si fondamentalement juste de P. Moreau est-elle tout à fait exacte : « Les personnages arrivent d'ordinaire vers la fin du troisième acte à ce point critique de l'action, qui est au bord du dénouement définitif et qu'on appelle coup de théâtre. C'est l'instant où Andromaque est placée en face du marché imposé par Pyrrhus et où elle se rend au tombeau d'Hector; [...] où Néron fait arrêter sa mère, son rival, et menace Burrhus; c'est l'instant enfin où l'orage se déclare : « Athalie en fureur demande Éliacin »?

— Pensez-vous que Racine, en faisant prophétiser l'impiété future et le crime de Joas (vers 1143), ait ainsi nui à notre sympathie pour lui? De quel sentiment cependant se double-t-elle maintenant? Et quelle dimension cette vue de l'avenir donne-t-elle à la fidélité de Joad? A quelle grande figure biblique, qu'il évoquera lui-même plus tard (acte V, scène V), fait-il songer?

JOSABET, *à Zacharie*

Mon fils, avec respect posez sur cette table
De notre sainte loi le livre redoutable[1].
Et vous aussi, posez, aimable Éliacin,
Cet auguste bandeau[2] près du livre divin.
1245 Lévite, il faut placer, Joad ainsi l'ordonne,
Le glaive de David auprès de sa couronne.

JOAS

Princesse, quel est donc ce spectacle nouveau?
Pourquoi ce livre saint, ce glaive, ce bandeau?
Depuis que le Seigneur m'a reçu dans son temple,
1250 D'un semblable appareil[3] je n'ai point vu d'exemple.

JOSABET

Tous vos doutes, mon fils, bientôt s'éclairciront[4].

JOAS

Vous voulez essayer ce bandeau sur mon front?
Ah! princesse, gardez[5] d'en profaner la gloire.
Du roi qui l'a porté[6] respectez la mémoire.
1255 Un malheureux enfant aux ours abandonné...

JOSABET, *lui essayant le diadème.*

Laissez, mon fils; je fais ce qui m'est ordonné.

JOAS

Mais j'entends les sanglots sortir de votre bouche!
Princesse, vous pleurez! Quelle pitié vous touche!
Est-ce qu'en holocauste aujourd'hui présenté,
1260 Je dois, comme autrefois la fille de Jephté[7],

1. Deuxième livre des Chroniques, XXIII, 11. (Voir la Documentation thématique); **2.** Voir vers 1095; **3.** *Appareil :* apprêts, préparatifs faits avec une certaine solennité; **4.** Seront éclaircis; **5.** *Garder de :* se garder de; **6.** Voir vers 1178; **7.** *Jephté :* voir Lexique, page 28.

QUESTIONS

● VERS 1237-1251. Comment le rythme des vers 1237-1238 traduit-il la majesté de la procession qui apparaît? — A quels mots, à quelles répétitions de mots, à quelle simplicité d'expression est dû l'effet de solennité des vers de Josabet (vers 1241-1246)? — Pourquoi fallait-il que ce fût Joas qui interrogeât sur le sens de ces préparatifs? — *D'un semblable appareil* (vers 1250) : en avons-nous vu, quant à nous, beaucoup d'exemples dans la tragédie classique?

Du Seigneur par ma mort apaiser la colère?
Hélas! un fils n'a rien qui ne soit à son père.

JOSABET

Voici qui[1] vous dira les volontés des cieux.
Ne craignez rien. Et nous, sortons tous de ces lieux.

SCÈNE II. — JOAS, JOAD.

JOAS, *courant dans les bras du grand prêtre.*

1265 Mon père!

JOAD

Hé bien, mon fils?

JOAS

Qu'est-ce donc qu'on prépare?

JOAD

Il est juste, mon fils, que je vous le déclare[2].
Il faut que vous soyez instruit, même avant tous,
Des grands desseins de Dieu sur son peuple et sur vous.
Armez-vous d'un courage et d'une foi nouvelle[3].
1270 Il est temps de montrer cette ardeur et ce zèle

---

1. *Voici qui :* voici celui qui. Le tour a été trouvé trop familier par Louis Racine comme par l'Académie; 2. *Déclarer :* voir vers 180 et la note; 3. *Nouvelle.* Accord de l'adjectif avec le nom le plus rapproché seulement.

QUESTIONS

● VERS 1252-1264. Les sentiments de Joas : est-il naturel qu'un enfant de son âge, élevé comme il l'a été, passe de la crainte du sacrilège (vers 1251-1255) au dévouement total du sacrifice (vers 1259-1262)? Comment se concilient ici la grandeur biblique et la vérité psychologique d'une âme enfantine?

■ SUR L'ENSEMBLE DE LA SCÈNE PREMIÈRE. — Pourquoi Joad a-t-il ordonné (vers 1245 et 1256) cette sorte de répétition générale avant le couronnement? Que pensez-vous, sur ce point, de cette opinion de J. Vianey : « La mise en scène combinée par Joad, et où l'on retrouve tous les traits de son caractère, a produit tout l'effet qu'il en attendait : elle a suscité la curiosité de l'enfant; elle l'a rempli d'un respect religieux pour la couronne qu'il va ceindre; elle l'a ému d'une douce pitié pour sa mère adoptive; elle lui a inspiré une vénération profonde envers Dieu. »

— Pourquoi Joad a-t-il voulu être seul avec Joas pour lui découvrir la vérité?

Qu'au fond de votre cœur mes soins ont cultivés,
Et de payer à Dieu ce que vous lui devez.
Sentez-vous cette noble et généreuse envie?

JOAS

Je me sens prêt[1], s'il veut, de lui donner ma vie.

JOAD

1275 On vous a lu souvent l'histoire de nos rois.
Vous souvient-il, mon fils, quelles étroites[2] lois
Doit s'imposer un roi digne du diadème?

JOAS

Un roi sage, ainsi Dieu l'a prononcé[3] lui-même,
Sur la richesse et l'or ne met point son appui[4],
1280 Craint le Seigneur son Dieu, sans cesse a devant lui
Ses préceptes, ses lois, ses jugements sévères,
Et d'injustes[5] fardeaux n'accable point ses frères.

JOAD

Mais sur l'un de ces rois s'il fallait vous régler,
A qui choisiriez-vous, mon fils, de ressembler?

JOAS

1285 David, pour le Seigneur plein d'un amour fidèle,
Me paraît des grands rois le plus parfait modèle[6].

JOAD

Ainsi dans leurs excès vous n'imiteriez pas
L'infidèle Joram, l'impie Okosias?

JOAS

O mon père!

---

1. *Prêt de :* prêt à; 2. *Étroit :* strict, rigoureux; 3. *Prononcer :* déclarer publiquement; 4. « Deutéronome, chapitre XVII. » (Note de Racine.) Il est en effet dit aux chapitres XVI-XX : « Il n'aura pas un poids énorme d'or et d'argent. [...] Il aura avec lui le Deutéronome et il le lira tous les jours pour apprendre à craindre le Seigneur son Dieu »; 5. *Injuste :* excessif; 6. Voir Bossuet, *Politique tirée de l'Écriture sainte* (livre IX, art. IV).

QUESTIONS

● VERS 1265-1274. Comment s'explique le sentiment qui, au vers 1265, pousse Joas dans les bras du grand prêtre? Pourquoi Joad tient-il, par une question solennelle, à faire réaffirmer à Joas une foi dont il ne peut douter?

JOAD

Achevez, dites : que vous en semble?

JOAS

1290 Puisse périr comme eux quiconque leur ressemble!

(Joad se prosterne à ses pieds.)

Mon père, en quel état[1] vous vois-je devant moi?

JOAD

Je vous rends le respect que je dois à mon roi.
De votre aïeul David, Joas, rendez-vous digne.

JOAS

Joas? Moi?

JOAD, *se relevant* [2].

Vous saurez par quelle grâce insigne
1295 D'une mère en fureur Dieu, trompant le dessein,
Quand déjà son poignard était dans votre sein,
Vous choisit, vous sauva du milieu du carnage.
Vous n'êtes pas encore échappé de[3] sa rage :
Avec la même ardeur qu'elle voulut[4] jadis
1300 Perdre en vous le dernier des enfants de son fils,
A vous faire périr sa cruauté s'attache[5],
Et vous poursuit encor sous le nom qui vous cache.
Mais sous vos étendards j'ai déjà su ranger
Un peuple[6] obéissant et prompt à[7] vous venger.

---

1. Ce genre d'hommage à un roi est rapporté plusieurs fois dans l'Écriture, par exemple dans le premier livre de Samuel, XXIV, 9 : « David s'inclina la face contre terre et adora Saül »; 2. L'indication scénique figure pour la première fois dans l'édition de 1736; 3. *Echappé de :* échappé à; 4. Avec laquelle elle voulut. Cet emploi de *même... que*, correct au XVIIe siècle, allège la tournure de la phrase; 5. *S'attacher :* s'appliquer; 6. *Un peuple :* la tribu de Lévi. (Voir page 33, note 1); 7. *Prompt à :* disposé à, résolu à.

QUESTIONS

● VERS 1275-1290. A quoi sert le rappel des devoirs des rois? — Rapprochez l'éducation reçue par Joas et celle que le Dauphin, fils de Louis XIV, avait reçue de Bossuet (dont il est question dans la Préface d'*Athalie*). — Étudiez le rythme et la construction de l'unique phrase qui constitue la réponse de Joas (vers 1278-1282) : est-ce l'accent de la conviction ou la récitation d'une leçon bien apprise? — Montrez que l'éloge de David et la malédiction de Joram et d'Okosias viennent couronner une très longue suite d'allusions : quel effet obtient ainsi Racine? — L'ironie tragique de l'exclamation de Joas au vers 1289, quand on sait son véritable père.

Phot. Larousse.

« ATHALIE » AU XVIIIe SIÈCLE

Bibliothèque de l'Arsenal. Fonds Rondel.

Mlle Duménil dans le rôle d'Athalie.

1305 Entrez, généreux chefs des familles sacrées,
Du ministère saint tour à tour honorées[1].

SCÈNE III. — JOAS, JOAD, AZARIAS, ISMAËL, ET LES TROIS AUTRES CHEFS DES LÉVITES[2].

JOAD *continue.*

Roi, voilà vos vengeurs contre vos ennemis.
Prêtres, voilà le roi que je vous ai promis.

AZARIAS

Quoi? c'est Éliacin?

ISMAËL

Quoi! cet enfant aimable...

JOAD

1310 Est des rois de Juda l'héritier véritable,
Dernier né des enfants du triste[3] Okosias,
Nourri[4], vous le savez, sous le nom de Joas.
De cette fleur si tendre et sitôt moissonnée,
Tout Juda[5], comme vous, plaignant la destinée,
1315 Avec ses frères morts le crut enveloppé.
Du perfide couteau comme eux il fut frappé;
Mais Dieu d'un coup mortel sut détourner l'atteinte,
Conserva dans son cœur la chaleur presque éteinte,
Permit que, des bourreaux trompant l'œil vigilant,
1320 Josabet dans son sein[6] l'emportât tout sanglant,

1. Les lévites appartenaient à trois grandes familles et exerçaient leur ministère par semaine (Nombres, IV). Joad n'avait pas laissé partir les lévites dont la semaine de service était passée. (Voir deuxième livre des Chroniques, XXIII, 8); 2. Ce sont là pour Racine les cinq centeniers (officiers) dont il parle aux lignes 100-106 de sa Préface; 3. *Triste :* voué à un sort malheureux, déplorable; 4. *Nourri :* voir vers 78 et la note; 5. *Juda :* voir Lexique, page 28; 6. *Dans son sein :* sur son sein.

QUESTIONS

● VERS 1291-1306. Pourquoi les deux noms propres, et pourquoi à cette place, dans le vers 1293? Quelle forme prend la révélation de l'identité? — Montrez que dans toute cette fin de scène Joad ne perd pas un instant : pourquoi cette rapidité?

■ SUR L'ENSEMBLE DE LA SCÈNE II. — On a prétendu que Joad, dans cette scène, faisait passer à Joas un « examen » parfaitement inutile. Pourquoi? Montrez au contraire la profonde nécessité psychologique et dramatique de cet interrogatoire qui précède la reconnaissance.

Et n'ayant de son vol[1] que moi seul pour complice,
Dans le temple cachât l'enfant et la nourrice.

JOAS

Hélas! de tant d'amour et de tant de bienfaits,
Mon père, quel moyen de m'acquitter jamais?

JOAD

1325 Gardez pour d'autres temps cette reconnaissance.
Voilà donc votre roi, votre unique espérance.
J'ai pris soin jusqu'ici de vous le conserver :
Ministres du Seigneur, c'est à vous d'achever.
Bientôt de Jézabel la fille meurtrière,
1330 Instruite que Joas voit encor la lumière,
Dans l'horreur du tombeau viendra le replonger.
Déjà, sans le connaître, elle veut l'égorger.
Prêtres saints, c'est à vous de prévenir sa rage.
Il faut finir[2] des Juifs le honteux esclavage,
1335 Venger vos princes morts, relever votre loi[3],
Et faire aux deux tribus[4] reconnaître leur roi.
L'entreprise, sans doute[5], est grande et périlleuse.
J'attaque sur son trône une reine orgueilleuse,
Qui voit sous ses drapeaux marcher un camp nombreux
1340 De hardis étrangers[6], d'infidèles Hébreux.
Mais ma force est au Dieu[7] dont l'intérêt me guide.
Songez qu'en cet enfant tout Israël[8] réside.
Déjà ce Dieu vengeur commence à la troubler;
Déjà, trompant ses soins[9], j'ai su vous rassembler.
1345 Elle vous croit ici sans armes, sans défense.
Couronnons, proclamons Joas en diligence.
De là, du nouveau prince intrépides soldats,

---

1. C'est le mot même de la Bible au deuxième livre des Rois (XI, 2) : « Elle le vola au milieu des fils du roi »; **2.** *Finir :* mettre un terme à; **3.** Rétablir votre loi dans son ancien rang et dans son autorité; **4.** Celles de Juda et de Benjamin; **5.** *Sans doute :* sans aucun doute; **6.** Voir vers 219; **7.** Dans le Dieu; **8.** *Israël :* voir vers 767; **9.** *Soins :* efforts, précautions.

QUESTIONS

● VERS 1307-1322. Qu'implique l'indication scénique *continue*, tout à fait superflue en apparence? — Force et brièveté dans la double présentation des vers 1307-1308. — Quel effet veut Joad par l'image du vers 1313? — Comment est construite la phrase qui va du vers 1316 au vers 1322? — Quelle résonance nouvelle prend, aux vers 1316-1322, le récit de faits déjà bien connus du spectateur? Comment Joad donne-t-il certitude et confiance aux lévites qui l'écoutent?

Marchons, en invoquant l'arbitre des combats[1]
Et, réveillant la foi dans les cœurs endormie,
1350 Jusque dans son palais cherchons notre ennemie.
Et quels cœurs si plongés dans un lâche sommeil,
Nous voyant avancer dans ce saint appareil[2],
Ne s'empresseront pas à suivre[3] notre exemple?
Un roi[4] que Dieu lui-même a nourri dans son temple,
1355 Le successeur d'Aaron[5] de ses prêtres suivi,
Conduisant au combat les enfants de Lévi,
Et, dans ces mêmes mains, des peuples révérées,
Les armes au Seigneur par David consacrées[6]!
Dieu sur ses ennemis répandra sa terreur.
1360 Dans l'infidèle sang baignez-vous sans horreur;
Frappez, et Tyriens[7], et même Israélites[8].
Ne descendez-vous pas de ces fameux lévites[9]
Qui, lorsqu'au dieu du Nil[10] le volage[11] Israël
Rendit dans le désert un culte criminel,
1365 De leurs plus chers parents saintement homicides,
Consacrèrent leurs mains dans le sang des perfides[12],
Et par ce noble exploit vous acquirent l'honneur
D'être seuls employés aux autels du Seigneur?
Mais je vois que déjà vous brûlez de me suivre.
1370 Jurez donc, avant tout, sur cet auguste livre[13],
A ce roi que le ciel vous redonne aujourd'hui,
De vivre, de combattre et de mourir pour lui.

GET PEOPLE TO JOIN THEM IN THEIR CAUSE
GOD = TERROR
BLOOD + GUTS
SWEAR TO SERVE KING

---

1. *L'arbitre des combats :* Dieu; 2. *Appareil :* voir vers 1250 et la note; 3. Ne s'empresseront pas de suivre; 4. Ici commence une phrase sans verbe principal et qui développe librement le vers 1352; 5. *Aaron :* voir Lexique, page 23; 6. Voir vers 1180-1184; 7. *Tyriens :* voir vers 219, 616 et 1340; 8. Les *infidèles Hébreux* du vers 1340; 9. *Lévites :* voir page 33, note 8; 10. Il s'agit du veau d'or qu'Aaron fit élever dans le désert, à la prière des Hébreux (Exode, XXXII); 11. *Volage :* infidèle; 12. *Perfide :* traître à la foi jurée, infidèle; 13. Le livre de la Loi; c'est là une forme de serment chrétien dont on ne trouve pas d'exemple dans l'Ancien Testament.

QUESTIONS

● VERS 1323-1350. Que confirme, sur le caractère du grand prêtre, la fermeté un peu sèche du vers 1325? — Pourquoi les périphrases des vers 1328 et 1329? — Quel effet produit la similitude des vers 1333 et 1328? — Pourquoi Joad ne dissimule-t-il rien des difficultés de son projet? Que fait-il mieux ressortir ainsi? — Comment le vers 1342 peut-il être la suite logique du vers précédent? — Que traduisent les répétitions de *Déjà* aux vers 1343-1344, ainsi que celles du vers 1345 et celles du début du vers 1346? Pourquoi la chute de la phrase sur *ennemie*, au vers 1350, est-elle particulièrement heureuse?

AZARIAS

Oui, nous jurons ici pour nous, pour tous nos frères,
De rétablir Joas au trône de ses pères,
1375 De ne poser[1] le fer entre nos mains remis,
Qu'après l'avoir vengé de tous ses ennemis.
Si quelque transgresseur enfreint cette promesse,
Qu'il éprouve, grand Dieu, ta fureur vengeresse;
Qu'avec lui ses enfants, de ton partage[2] exclus,
1380 Soient au rang de ces morts que tu ne connais plus[3].

JOAD

Et vous, à cette loi, votre règle éternelle[4],
Roi, ne jurez-vous pas d'être toujours fidèle?

JOAS

Pourrais-je[5] à cette loi ne pas me conformer?

JOAD

O mon fils, de ce nom j'ose encor vous nommer,
1385 Souffrez cette tendresse, et pardonnez aux larmes

---

1. *Poser :* déposer; 2. *Partage :* héritage; 3. Psaumes, LXXXVII, 6. « Comme ceux qui, tués, dorment dans les sépulcres et dont tu ne te souviens plus »; 4. Deuxième livre des Chroniques, XXIII, 11. (Voir la Documentation thématique); 5. Comment pourrais-je.

QUESTIONS

● VERS 1351-1372. Le mot *appareil* est employé ici comme au vers 1250 : est-ce voulu? Pourquoi? — Quel effet produisent les noms propres dans les vers 1355-1359? — Montrez la puissance de l'image biblique dans le vers 1359. — La fureur sanguinaire de Joad (vers 1360) n'a-t-elle pas pour nous quelque chose de désagréable? Pourquoi Racine l'a-t-il voulu ainsi? — Comment s'explique la violence des antithèses dans les vers 1365-1366? — Quelle qualité révèle chez Joad orateur le vers 1369? — Pourquoi, pour une fois, au vers 1370, Racine n'a-t-il pas reculé devant l'anachronisme? — Quel effet produit la retombée de la phrase au vers 1372 sur les trois infinitifs et le pronom personnel final?

● VERS 1373-1383. Clarté et fermeté dans les formules du serment des centeniers. — Pourquoi Joad demande-t-il à Joas aussi un serment solennel, pourquoi utilise-t-il la forme négative-interrogative? Peut-on imaginer que Racine pense ici aux serments de la monarchie de droit divin au XVIIe siècle? Le duc de Bourgogne, petit-fils de Louis XIV, né en 1682, avait à peu près l'âge de Joas au moment de la représentation d'*Athalie :* quel effet devaient produire pareilles scènes sur les gens de l'époque?

Que m'arrachent pour vous de trop justes alarmes.
Loin du trône nourri[1], de ce fatal honneur,
Hélas! vous ignorez le charme[2] empoisonneur;
De l'absolu pouvoir vous ignorez l'ivresse,
1390 Et des lâches flatteurs la voix enchanteresse.
Bientôt ils vous diront que les plus saintes lois,
Maîtresses du vil[3] peuple, obéissent aux rois;
Qu'un roi n'a d'autre frein que sa volonté même;
Qu'il doit immoler tout à sa grandeur suprême;
1395 Qu'aux larmes, au travail le peuple est condamné,
Et d'un sceptre de fer veut être gouverné;
Que, s'il n'est opprimé, tôt ou tard il opprime :
Ainsi de piège en piège, et d'abîme en abîme,
Corrompant de vos mœurs[4] l'aimable pureté,
1400 Ils vous feront enfin haïr la vérité,
Vous peindront la vertu sous une affreuse image.
Hélas! ils ont des rois égaré le plus sage[5].
Promettez sur ce livre, et devant ces témoins,
Que Dieu fera toujours le premier de vos soins;
1405 Que, sévère aux méchants, et des bons le refuge,
Entre le pauvre et vous, vous prendrez Dieu pour juge[6],
Vous souvenant, mon fils, que, caché sous ce lin[7],
Comme eux[8] vous fûtes pauvre et comme eux orphelin.

---

1. *Nourri :* voir vers 78 et la note; **2.** *Charme :* attrait, séduction irrésistible; **3.** *Vil :* sans valeur (voir aussi vers 566 et la note); **4.** *Mœurs :* caractère et éducation; **5.** Salomon. Le premier livre des Rois (XI) raconte que Salomon, dans sa vieillesse, fit construire des temples pour les dieux étrangers, afin de complaire à ses femmes, qui étaient d'origine étrangère; **6.** Psaumes, LXXXI, 3 : « Jugez la cause du pauvre et de l'orphelin; rendez justice aux petits et aux pauvres »; **7.** Voir vers 390; **8.** Comme les pauvres. Pluriel tiré de l'idée collective contenue dans *le pauvre* (vers 1406).

QUESTIONS

● VERS 1384-1402. Le brusque attendrissement de Joad n'a-t-il pas de quoi surprendre après ses élans sanguinaires? Comment se complète ici à nos yeux la peinture de son caractère? Quel effet produit l'inversion du complément de nom dans les vers 1387-1389 et 1390? — Le développement sur les dangers de la flatterie (vers 1391-1402), comme il y en a tant dans la littérature du Grand Siècle, est-il, dramatiquement, justifié ici? Les idées politiques de Racine, d'après ce discours : quelle réflexion vous inspire la déclaration prêtée à Louis XIV : « Parce qu'il sait faire parfaitement des vers, croit-il tout savoir? Et parce qu'il est grand poète, veut-il être ministre? » — Le vers 1402 ne peut-il pas être interprété comme une flatterie indirecte à l'adresse de Louis XIV?

JOAS, *au milieu de la table, ayant la main sur le livre saint*[1].

Je promets d'observer ce que la loi m'ordonne.
1410 Mon Dieu, punissez-moi si je vous abandonne.

JOAD

Venez : de l'huile sainte[2] il faut vous consacrer.
Paraissez, Josabet : vous pouvez vous montrer.

SCÈNE IV. — JOAS, JOAD, JOSABET, ZACHARIE, SALOMITH, AZARIAS, ISMAËL, LES TROIS AUTRES CHEFS DES LÉVITES, LE CHŒUR.

JOSABET, *embrassant Joas.*

O roi, fils de David!

JOAS

O mon unique mère!
Venez, cher Zacharie, embrasser votre frère.

JOSABET, *à Zacharie.*

1415 Aux pieds de votre roi prosternez-vous, mon fils.
(Zacharie se jette aux pieds de Joas.)

JOAD, *pendant qu'ils s'embrassent.*

Enfants, ainsi toujours puissiez-vous être unis!

1. Ces indications scéniques apparaissent pour la première fois dans l'édition de 1736; 2. L'onction est le moment essentiel de la cérémonie du couronnement. Voir Lexique, *Huile sainte*, page 27.

QUESTIONS

● VERS 1403-1412. Pourquoi Joad donne-t-il lui-même un contenu à la promesse de Joas? Vers quoi l'oriente-t-il? — Que veut obtenir Joad par la construction symétrique des vers 1405 et 1408, ainsi que par l'ultime *mon fils* qui ferme cette tirade comme il l'avait ouverte? — La simplicité du serment de Joas, le pathétique du vœu qu'il forme aussitôt après (vers 1409-1410). — Quel mouvement scénique implique le *venez* du vers 1411? Montrez la docilité respectueuse de Josabet que suppose le vers 1412.

■ SUR L'ENSEMBLE DE LA SCÈNE III. — Il y a tout un aspect de pièce à grand spectacle dans cette scène : pourquoi?
— Comment s'y parfait notre connaissance de Joad? Déférence, fermeté et tendresse à l'égard de Joas; tacticien habile, orateur passionné, et fanatique sanguinaire avec les centeniers. Montrez qu'il n'est pas entièrement sympathique dans la mesure où il fait peur : était-ce l'intention de Racine?

JOSABET, *à Joas.*

Vous savez donc quel sang vous a donné la vie?

JOAS

Et je sais quelle main sans vous me l'eût ravie.

JOSABET

De votre nom, Joas, je puis donc vous nommer.

JOAS

1420 Joas ne cessera jamais de vous aimer.

LE CHŒUR

Quoi! c'est là...

JOSABET

C'est Joas.

JOAD

Écoutons ce lévite.

SCÈNE V. — JOAS, JOAD, JOSABET, ETC., UN LÉVITE.

UN LÉVITE

J'ignore contre Dieu quel projet on médite,
Mais l'airain menaçant frémit[1] de toutes parts;
On voit luire des feux parmi des étendards,
1425 Et sans doute Athalie assemble son armée.
Déjà même au secours toute voie est fermée;
Déjà le sacré mont où le temple est bâti[2]
D'insolents Tyriens[3] est partout investi;
L'un d'eux, en blasphémant, vient de nous faire entendre
1430 Qu'Abner est dans les fers et ne peut nous défendre.

1. Plutôt que du son des trompettes (voir pourtant le vers 1504), il doit s'agir du bruit des armes; 2. Voir les lignes 25-33 de la Préface et aussi les vers 1438 et suivants; 3. *Tyriens* : voir vers 219, 616 et 1361.

QUESTIONS

■ SUR LA SCÈNE IV. — Quel sentiment traduisent les mots de Josabet (vers 1413)?

— Quel jeu de scène implique, de la part de Zacharie, le vers 1414?

— Quelle valeur pathétique prend, après la prophétie, le souhait de Joad (vers 1416)?

— Pourquoi Joas, au vers 1420, parle-t-il de lui à la troisième personne?

— Pourquoi Racine ne laisse-t-il pas au chœur le temps d'exprimer ses sentiments devant le nouveau roi?

JOSABET, *à Joas.*

Cher enfant, que le ciel en vain m'avait rendu,
Hélas! pour vous sauver j'ai fait ce que j'ai pu :
Dieu ne se souvient plus de David votre père!

JOAD, *à Josabet.*

Quoi! vous ne craignez pas d'attirer sa colère
1435 Sur vous et sur ce roi si cher à votre amour?
Et quand Dieu, de vos bras l'arrachant sans retour,
Voudrait que de David la maison fût éteinte,
N'êtes-vous pas ici sur la montagne sainte
Où le père des Juifs[1] sur son fils innocent
1440 Leva sans murmurer un bras obéissant,
Et mit sur un bûcher ce fruit de sa vieillesse[2],
Laissant à Dieu le soin d'accomplir sa promesse,
Et lui sacrifiant, avec ce fils aimé,
Tout l'espoir de sa race, en lui seul renfermé?
1445 Amis, partageons-nous : qu'Ismaël en sa garde[3]
Prenne tout le côté que l'orient regarde :
Vous, le côté de l'Ourse[4], et vous, de l'occident;
Vous, le midi. Qu'aucun, par un zèle imprudent,
Découvrant mes desseins, soit prêtre, soit lévite
1450 Ne sorte avant le temps et ne se précipite;
Et que chacun enfin, d'un même esprit poussé,

---

1. *Le père des Juifs :* « Abraham » (note de Racine). C'est en effet sur la colline de Sion que se trouve, selon la tradition, le lieu où Abraham mena Isaac pour le sacrifier, selon la volonté de Dieu. La mosquée d'Omar fut, à l'époque musulmane, construite à cet emplacement; 2. Abraham avait plus de cent ans à la naissance d'Isaac; 3. Sous sa garde; 4. *L'Ourse :* la Grande Ourse, le nord.

QUESTIONS

● VERS 1422-1430. Les nouvelles apportées par le lévite constituent-elles un coup de théâtre? Joad peut-il être surpris de l'évolution des événements? — Comment tous les détails donnés par le messager justifient-ils que c'est *contre Dieu* (vers 1422) que l'attaque est menée? — L'importance du vers 1430.

● VERS 1431-1444. Le désespoir de Josabet était-il prévisible (vers 1431-1433)? Quel sentiment la domine depuis le début de la tragédie? Montrez que la volonté de Dieu joue pour elle le rôle que tient la fatalité pour certains personnages des tragédies profanes. — Qu'est-ce qui dans les tours et les expressions marque la véhémence des reproches de Joad? — A partir du vers 1438, mettez en évidence le rôle important du lieu où se déroule l'action. — Qu'est-ce qui, rapprochant Abraham de Joad, rend plus émouvant encore pour ce dernier le vers 1440?

Garde en mourant le poste où je l'aurai placé.
L'ennemi nous regarde, en son aveugle rage,
Comme de vils troupeaux réservés au carnage,
1455 Et croit ne rencontrer que désordre et qu'effroi.
Qu'Azarias partout accompagne le roi.

(A Joas.)

Venez, cher rejeton d'une vaillante race,
Remplir vos défenseurs d'une nouvelle audace;
Venez du diadème à leurs yeux vous couvrir,
1460 Et périssez du moins en roi, s'il faut périr.

(A un lévite.)

Suivez-le, Josabet. Vous, donnez-moi ces armes.
Enfants, offrez à Dieu vos innocentes larmes.

SCÈNE VI. — SALOMITH, LE CHŒUR.

TOUT LE CHŒUR *chante.*

Partez, enfants d'Aaron, partez.
Jamais plus illustre querelle[1]
1465 De vos aïeux n'arma le zèle.
Partez, enfants d'Aaron, partez.
C'est votre roi, c'est Dieu pour qui[2] vous combattez.

UNE VOIX, *seule.*

Où sont les traits que tu lances,
Grand Dieu, dans ton juste courroux?
1470 N'es-tu plus le Dieu jaloux[3]?
N'es-tu plus le Dieu des vengeances[4]?

UNE AUTRE

Où sont, Dieu de Jacob, tes antiques bontés?
Dans l'horreur qui nous environne,
N'entends-tu que la voix de nos iniquités[5]?
1475 N'es-tu plus le Dieu qui pardonne?

---

1. *Querelle :* cause; 2. C'est pour Dieu que (voir vers 858); 3. *Jaloux :* voir vers 98 et la note; 4. Psaumes, XCIII, 1 : « Dieu des vengeances, Yahvé, Dieu des vengeances apparais! »; 5. Tournure empruntée à la poésie biblique : par exemple Psaumes, VI, 9 : « Yahvé a entendu la voix de mes pleurs. »

QUESTIONS

● VERS 1445-1462. Sur quel ton et quel rythme ces vers sont-ils composés? Assurance et clarté, habileté à soutenir le courage des lévites. — Comment se justifie l'image du vers 1454? Comment se précise le caractère de Joad, homme d'action?

TOUT LE CHŒUR

Où sont, Dieu de Jacob, tes antiques bontés?

UNE VOIX, *seule.*

C'est à toi que dans cette guerre
Les flèches des méchants prétendent s'adresser[1].
« Faisons, disent-ils, cesser
1480 « Les fêtes de Dieu sur la terre[2].
« De son joug importun délivrons les mortels.
« Massacrons tous ses saints, renversons ses autels,
« Que de son nom, que de sa gloire
« Il ne reste plus de mémoire[3];
1485 « Que ni lui ni son Christ[4] ne règnent plus sur nous. »

TOUT LE CHŒUR

Où sont les traits que tu lances,
Grand Dieu, dans ton juste courroux?
N'es-tu plus le Dieu jaloux?
N'es-tu plus le Dieu des vengeances?

UNE VOIX, *seule.*

1490 Triste reste de nos rois,
Chère et dernière fleur d'une tige si belle[5],

---

1. Psaumes, X, 3 : « Les méchants bandent leur arc, ils ajustent leur flèche sur la corde, pour tirer dans l'ombre sur ceux dont le cœur est droit »; **2.** Traduction textuelle du Psaume LXXIII, 8; **3.** Psaumes, LXXXII, 5 : « Que du nom d'Israël il ne reste plus de mémoire »; **4.** *Christ :* oint, consacré par l'onction divine. Il peut s'agir aussi bien du roi que du Messie (voir page 36, note 10); **5.** Image biblique, voir vers 140.

QUESTIONS

● Vers 1465-1489. Le chœur obéit-il vraiment à l'ordre de Joad au vers 1462? Quel effet produit cet hymne belliqueux? — Comment se justifie la périphrase *(enfants d'Aaron)* du vers 1463? — Quelle idée sous-entendue fait le lien logique entre les vers 1467 et 1468? — Étudiez, dans le rythme et les expressions, les effets de symétrie et de contraste dans les vers 1468-1475. — Précisez la valeur de la périphrase des vers 1472 et 1476. — Pourquoi l'affirmation des vers 1477-1478? Quelle est la valeur poétique ici de l'image? — Effet produit par le passage au style direct : étudiez, dans la fin du couplet (vers 1479-1485), les changements dans le rythme. On a voulu voir dans ces vers une allusion aux persécutions contre Port-Royal : qu'en pensez-vous? — Qu'indique, pour la composition de l'ensemble de ce texte, le fait que le chœur reprend, au vers 1486, le couplet du vers 1468-1471, et au vers 1501, le couplet du vers 1472-1475?

Hélas! sous le couteau d'une mère cruelle
Te verrons-nous tomber une seconde fois?
Prince aimable, dis-nous si quelque ange[1] au berceau
1495 Contre tes assassins prit soin de te défendre;
Ou si dans la nuit du tombeau
La voix du Dieu vivant[2] a ranimé ta cendre?

UNE AUTRE

D'un père et d'un aïeul[3] contre toi révoltés,
Grand Dieu, les attentats lui sont-ils imputés?
1500 Est-ce que sans retour ta pitié l'abandonne?

LE CHŒUR

Où sont, Dieu de Jacob, tes antiques bontés?
N'es-tu plus le Dieu qui pardonne?

UNE DES FILLES DU CHŒUR, *sans chanter.*

Chères sœurs, n'entendez-vous pas
Des cruels Tyriens[4] la trompette qui sonne?

SALOMITH

1505 J'entends même les cris des barbares soldats,
Et d'horreur[5] j'en frissonne.
Courons, fuyons, retirons-nous
A l'ombre salutaire
Du redoutable sanctuaire.

---

1. *Ange :* voir vers 409. Ici, il s'agit d'un ange protecteur; 2. *Dieu vivant :* voir vers 406; 3. Okosias et Joram; 4. Les soldats d'Athalie (voir vers 219 et 616); 5. *Horreur :* voir vers 621 et la note.

QUESTIONS

● VERS 1490-1509. Pourquoi, au vers 1494, une seconde allusion à un *ange?* — Quel effet produit l'octosyllabe du vers 1496? — Dans les vers 1494-1497, le chœur envisage-t-il réellement l'hypothèse d'une résurrection? — Montrez l'importance, avant l'acte V et les imprécations d'Athalie, du rappel, dans les vers 1498-1499, des craintes exprimées par Josabet aux vers 235 et suivants? — Pourquoi le chœur au vers 1501 ne reprend-il que deux vers du couplet du vers 1472? — Quel effet produit l'abandon brusque du chant? — Par quels effets de rythme sont exprimées l'agitation et la frayeur dans les paroles de Salomith?

■ SUR L'ENSEMBLE DE LA SCÈNE VI. — Comment, par sa dimension et les sentiments exprimés, ce chœur est-il fort différent des précédents et, beaucoup plus qu'eux encore, engagé dans l'action?

ACTE V

Scène première. — ZACHARIE, SALOMITH, le chœur.

SALOMITH

1510 Cher Zacharie, hé bien! que nous apprenez-vous?

ZACHARIE

Redoublez au Seigneur votre ardente prière.
Peut-être nous touchons à notre heure dernière;
Pour l'horrible combat, ma sœur, l'ordre est donné.

SALOMITH

Que fait Joas?

ZACHARIE

Joas vient d'être couronné.
1515 Le grand prêtre a sur lui répandu l'huile sainte[1].
O ciel! dans tous les yeux quelle joie était peinte
A l'aspect de ce roi racheté du tombeau[2]!
Ma sœur, on voit encor la marque du couteau;
On voit paraître aussi sa fidèle nourrice,
1520 Qui, cachée en un coin de ce vaste édifice,
Gardait ce cher dépôt et n'avait de ses soins
Que les yeux de ma mère et que Dieu pour témoins.
Nos lévites pleuraient de joie et de tendresse[3],
Et mêlaient leurs sanglots à leurs cris d'allégresse.
1525 Lui, parmi ces transports[4], affable et sans orgueil,

1. Voir vers 1411; 2. *Racheté du tombeau* : sauvé du tombeau. Psaumes, CII, 4 : « Lui qui rachète ta vie de la fosse »; 3. *Tendresse* : attendrissement; 4. *Transports* : agitations passionnées.

QUESTIONS

■ Sur l'ensemble de l'acte IV. — Étudiez la composition simple de cet acte. On a dit qu'il était le plus « scénique » de la pièce : montrez-le.
— L'action progresse-t-elle vraiment dans cet acte? Quand il se termine, peut-on dire que tout est joué comme après le quatrième acte d'*Andromaque* ou de *Britannicus?*
— De même que l'acte II s'ordonnait autour de l'interrogatoire d'Éliacin et l'acte III autour de la prophétie de Joad, cherchez la scène, le tableau pour lesquels tout l'acte est fait.
— Comment s'est poursuivie, dans cet acte, la peinture du caractère de Joad : ses qualités d'orateur et de meneur d'hommes.

A l'un tendait la main, flattait[1] l'autre de l'œil,
Jurait de se régler par leurs avis sincères,
Et les appelait tous ses pères ou ses frères.

SALOMITH

Ce secret au dehors est-il aussi semé[2]?

ZACHARIE

1530 Ce secret dans le temple est encor renfermé.
Des enfants de Lévi la troupe partagée
Dans un profond silence aux portes s'est rangée.
Tous doivent à la fois précipiter leurs pas,
Et crier pour signal : « Vive le roi Joas »[3]!
1535 Mais mon père défend que le roi se hasarde[4],
Et veut qu'Azarias demeure pour sa garde.
Cependant Athalie, un poignard à la main,
Rit des faibles remparts de nos portes d'airain.
Pour les rompre, elle attend les fatales[5] machines,
1540 Et ne respire[6] enfin que sang et que ruines.
Quelques prêtres, ma sœur, ont d'abord proposé
Qu'en un lieu souterrain, par nos pères creusé,
On renfermât du moins notre arche[7] précieuse.

---

1. *Flatter :* ici, encourager, rassurer; 2. *Semé :* divulgué; 3. Deuxième livre des Chroniques, XXIII, 11. (Voir la Documentation thématique); 4. *Se hasarder :* s'exposer, courir un risque; 5. *Fatal :* par qui la mort doit nécessairement arriver; 6. *Respirer :* souhaiter ardemment; 7. *L'arche :* voir page 34, note 6.

QUESTIONS

● VERS 1510-1528. Pourquoi Racine a-t-il tenu à faire rimer le vers 1510 avec le vers 1507, qui appartient à l'acte IV? Se référer aux lignes 129-133 de la Préface (page 37). — Quel sentiment traduit la question de Salomith au vers 1514? — Pourquoi le vers 1515 est-il le seul détail précis rapporté par Zacharie du couronnement lui-même? Quelles images Zacharie a-t-il surtout gardées du sacre? En quoi révèlent-elles son caractère? — Quel effet pathétique ne peut manquer de produire, après la prophétie, l'admiration attendrie de Zacharie pour Joas (vers 1525-1528)?

● VERS 1529-1540. Étudiez l'effet de contraste entre les deux tableaux contenus dans ces vers 1530-1540. — L'effet produit par les deux inversions des vers 1531 et 1532. — L'indication du second hémistiche au vers 1537 n'a-t-elle pas quelque chose d'excessif? Ne vaut-elle pas plus par ce qu'elle rappelle que par ce qu'elle évoque vraiment ici? — Quel effet produit la place du verbe dans le vers 1538? Quel sentiment traduit-il chez Athalie (v. vers 1429)?

« O crainte, a dit mon père, indigne[1], injurieuse!
1545 L'arche qui fit tomber tant de superbes tours[2],
Et força le Jourdain de rebrousser son cours[3],
Des dieux des nations[4] tant de fois triomphante,
Fuirait donc à l'aspect d'une femme insolente? »
Ma mère, auprès du roi, dans un trouble mortel,
1550 L'œil tantôt sur ce prince et tantôt vers l'autel,
Muette et succombant sous le poids des alarmes,
Aux yeux les plus cruels arracherait des larmes.
Le roi de temps en temps la presse entre ses bras,
La flatte[5]... Chères sœurs, suivez toutes mes pas;
1555 Et, s'il faut aujourd'hui que notre roi périsse,
Allons, qu'un même sort avec lui nous unisse.

JOS. SCARED
JOAS
COMFORTS.

SALOMITH

Quelle insolente main frappe à coups redoublés?
Qui[6] fait courir ainsi ces lévites troublés[7]?
Quelle précaution leur fait cacher leurs armes?
1560 Le temple est-il forcé?

ZACHARIE

Dissipez vos alarmes :
Dieu nous envoie Abner.

ABNER OUT
OF JAIL.

1. *Indigne :* mal fondée, injustifiée; 2. Allusion à la destruction des murs de Jéricho; l'arche fut portée sept jours en procession autour de cette ville ennemie et le septième jour les murailles tombèrent; 3. Josué, III. Le Jourdain laisse ainsi passer les Hébreux, lors de leur marche sur Jéricho; 4. Expression biblique pour désigner les autres dieux que le Dieu des Juifs. Psaumes, XCV, 5 : « Tous les dieux des peuples sont des idoles »; 5. *Flatter :* voir vers 1526 et la note; 6. *Qui :* qu'est-ce qui (voir note du vers 869); 7. *Troublé :* agité, effaré.

QUESTIONS

● VERS 1541-1561. Montrez que, jusqu'au bout, Joad aura dû lutter contre la peur des autres et qu'il l'aura fait jusqu'au bout magnifiquement. — Pourquoi *mon* et non *notre père*, dans le vers 1544? — A quoi tient la valeur plastique du tableau des vers 1546-1554? — Pourquoi, depuis la scène IV de l'acte IV, Racine insiste-t-il autant sur la tendresse de Joas? — Quel sentiment les points de suspension du vers 1554 traduisent-ils chez Zacharie? — Comment les vers 1553-1556 unissent-ils étroitement le chœur à l'action? — Par quels procédés (vers 1557-1560) s'accroît la tension dramatique?

■ SUR L'ENSEMBLE DE LA SCÈNE PREMIÈRE. — Étudiez la composition d'ensemble du récit de Zacharie. A quoi prépare-t-il le spectateur? — Pourquoi Racine n'a-t-il pas utilisé, dans la psychologie de Zacharie et de Salomith, le lien de parenté qu'il leur a donné?

SCÈNE II. — JOAD, JOSABET, ZACHARIE, SALOMITH, ABNER, ISMAËL, DEUX LÉVITES, LE CHŒUR.

JOAD

En croirai-je mes yeux,
Cher Abner? Quel chemin a pu jusqu'en ces lieux
Vous conduire au travers d'un camp[1] qui nous assiège?
On disait que d'Achab la fille sacrilège
1565 Avait, pour assurer[2] ses projets inhumains,
Chargé d'indignes fers vos généreuses[3] mains.

ABNER

Oui, seigneur, elle a craint mon zèle[4] et mon courage;
Mais c'est le moindre prix que me gardait sa rage.
Dans l'horreur d'un cachot, par son ordre enfermé,
1570 J'attendais que, le temple en cendre consumé,
De tant de flots de sang non encore assouvie,
Elle vînt m'affranchir d'une importune vie,
Et retrancher[5] des jours qu'aurait dû mille fois
Terminer la douleur de survivre à mes rois.

JOAD

1575 Par quel miracle[6] a-t-on obtenu votre grâce?

ABNER

Dieu dans ce cœur cruel sait seul ce qui se passe.
Elle m'a fait venir, et, d'un air égaré :
« Tu vois de mes soldats tout ce temple entouré,
Dit-elle; un fer vengeur va le réduire en cendre,
1580 Et ton Dieu contre moi ne le saurait défendre.

1. *Camp* : armée; 2. *Assurer* : rendre sûr; 3. *Généreux* : de noble race; 4. *Zèle* : ferveur religieuse; 5. *Retrancher* : supprimer; 6. *Miracle* : prodige (sans acception religieuse).

QUESTIONS

● VERS 1561-1574. L'effet produit par le retour inattendu d'Abner (vers 1430). — N'y a-t-il pas, dans l'emploi de la périphrase, des adjectifs et de l'enjambement, une certaine emphase dans les paroles du grand prêtre (vers 1561-1566)? Comment l'expliquez-vous? — Pourquoi, dans un moment aussi pathétique, une phrase aussi ample et mesurée que celle des vers 1569-1574? — Montrez comment ce qui nous est confirmé sur les sentiments d'Athalie et ceux d'Abner est destiné à nous préparer directement au dénouement.

Ses prêtres toutefois, mais il faut se hâter,
A deux conditions peuvent se racheter :
Qu'avec Éliacin on mette en ma puissance
Un trésor[1] dont je sais qu'ils ont la connaissance,
1585 Par votre roi David autrefois amassé,
Sous le sceau du secret au grand prêtre laissé.
Va, dis-leur qu'à ce prix je leur permets de vivre. »

JOAD

Quel conseil[2], cher Abner, croyez-vous qu'on doit suivre[3]?

ABNER

Et tout l'or de David, s'il est vrai qu'en effet[4]
1590 Vous gardiez de David quelque trésor secret,
Et tout ce que des mains de cette reine avare[5]
Vous avez pu sauver et de riche et de rare,
Donnez-le. Voulez-vous que d'impurs[6] assassins
Viennent briser l'autel, brûler les chérubins[7],
1595 Et, portant sur votre arche une main téméraire,
De votre propre sang souiller le sanctuaire?

JOAD

Mais siérait-il, Abner, à des cœurs généreux
De livrer au supplice un enfant malheureux,

---

1. Voir vers 50; 2. *Conseil* : parti; 3. Qu'on doive suivre. Au XVIIe siècle, on emploie volontiers l'indicatif dans les tournures de ce genre, pour insister sur la réalité du fait; 4. *En effet* : effectivement; 5. *Avare* : avide; 6. *Impurs*, parce qu'ils ne sont pas circoncis; 7. *Les chérubins* : les deux chérubins d'olivier, recouverts d'or et hauts de plus de quatre mètres, qui couvraient l'arche de leurs ailes (premier livre des Rois, VI, 23 et suivants).

QUESTIONS

● VERS 1575-1587. Quelle est l'importance du premier mot de la réponse d'Abner (v. vers 292-294)? — Montrez comment le premier hémistiche du vers 1580 résume nettement l'essentiel du combat qui se joue. — Comment, dès la scène première du premier acte, Racine avait-il pris soin de préparer le rebondissement des vers 1584-1586? — Racine a-t-il tenu à justifier parfaitement ce nouveau sursis accordé au temple par la reine?

● VERS 1588-1596. Pourquoi, pour la première fois dans la pièce, Joad demande-t-il conseil à Abner? Hésite-t-il sur la décision à prendre? — Quel sentiment est exprimé par la répétition de *Et* (vers 1589 et 1591) et le rejet du début du vers 1593? L'effet produit le caractère concret des événements évoqués par Abner (vers 1593-1596) : marquez la différence avec les vers 1570-1571. Pourquoi, dans sa réponse, Abner ne parle-t-il que du trésor?

Un enfant que Dieu même à ma garde confie,
1600 Et de nous racheter aux dépens de sa vie?

ABNER

Hélas! Dieu voit mon cœur. Plût à ce Dieu puissant
Qu'Athalie oubliât un enfant innocent,
Et que du sang d'Abner sa cruauté contente[1]
Crût calmer par ma mort le ciel qui la tourmente[2]!
1605 Mais que peuvent pour lui vos inutiles soins?
Quand vous péririez tous, en périra-t-il moins?
Dieu vous ordonne-t-il de tenter l'impossible?
Pour obéir[3] aux lois d'un tyran[4] inflexible,
Moïse, par sa mère au Nil abandonné,
1610 Se vit, presque en naissant, à périr condamné;
Mais Dieu, le conservant contre toute espérance,
Fit par le tyran même élever son enfance.
Qui sait ce qu'il réserve à votre Éliacin;
Et si, lui préparant un semblable destin,
1615 Il n'a point de pitié déjà rendu capable
De nos malheureux rois l'homicide[5] implacable?
Du moins, et Josabet comme moi l'a pu voir,
Tantôt à son aspect je l'ai vu s'émouvoir[6];
J'ai vu de son courroux tomber la violence.

---

1. *Content* : satisfait; 2. *Tourmenter* : torturer; 3. Parce qu'on voulait obéir. Cette construction, dans laquelle l'infinitif n'a pas le même sujet que le verbe à mode personnel, ne serait plus admise aujourd'hui; 4. Le Pharaon dont la fille sauva Moïse des eaux (Exode, II); 5. *L'homicide* : la meurtrière; 6. On écrirait aujourd'hui : je l'ai vue s'émouvoir; au XVIIe siècle, quand le participe est suivi d'un infinitif et que le complément direct précède, le participe restait souvent invariable. Pour Vaugelas même, le participe passé devait rester invariable devant un infinitif.

QUESTIONS

● VERS 1597-1619. Joad cherche-t-il vraiment à convaincre Abner? Pourquoi dès lors lui présente-t-il ces objections? Comparez son attitude à celle qu'il a adoptée en face de Josabet (acte III, scène VI). — Quel effet est obtenu par la reprise de *généreux* (vers 1597 et 1567) et la répétition de *enfant* (vers 1598-1599)? — La véhémence, dans les vers 1605-1607. — En faisant rappeler sans cesse à ses personnages d'illustres exemples antérieurs (voir, par exemple, vers 1105, 1114, 1438-1441), quels effets d'ordre poétique et psychologique Racine recherche-t-il? — La supposition d'Abner (vers 1613-1616) n'a rien d'invraisemblable : pourquoi Joad n'aura-t-il même pas un mot pour y répondre?

1620 Princesse, en ce péril vous gardez le silence?
Hé quoi! pour un enfant qui vous est étranger
Souffrez-vous que sans fruit[1] Joad laisse égorger
Vous, son fils, tout ce peuple, et que le feu dévore
Le seul lieu sur la terre où Dieu veut qu'on l'adore?
1625 Que feriez-vous de plus, si des rois vos aïeux
Ce jeune enfant était un reste précieux?

JOSABET, *tout bas à Joad.*

Pour le sang de ses rois vous voyez sa tendresse :
Que ne lui parlez-vous?

JOAD

Il n'est pas temps, princesse.

ABNER

Le temps est cher[2], seigneur, plus que vous ne pensez.
1630 Tandis qu'à me répondre ici vous balancez[3],
Mathan près d'Athalie, étincelant de rage,
Demande le signal et presse le carnage.
Faut-il que je me jette à vos sacrés genoux?
Au nom du lieu si saint qui n'est ouvert qu'à vous,
1635 Lieu terrible où de Dieu la majesté repose,
Quelque dure que soit la loi qu'on vous impose,
De ce coup imprévu songeons à nous parer[4].
Donnez-moi seulement le temps de respirer.
Demain, dès cette nuit, je prendrai des mesures
1640 Pour assurer[5] le temple et venger ses injures[6].
Mais je vois que mes pleurs et que mes vains discours[7]
Pour vous persuader sont un faible secours :

---

1. *Sans fruit :* sans profit, pour rien; 2. *Cher :* précieux; 3. *Balancer :* hésiter; 4. *Nous parer :* nous garantir; 5. *Assurer :* assurer la sécurité de; 6. *Ses injures :* les outrages qui lui sont faits; 7. *Discours :* paroles, propos.

QUESTIONS

● VERS 1620-1628. L'appel à Josabet (vers 1620) ne s'explique-t-il pas par le silence du grand prêtre? Qu'espère ainsi Abner? — Montrez que l'attachement passionné à la réalité matérielle du temple (vers 1624) est un des aspects de l'âme juive les mieux observés par Racine. — Analysez l'effet pathétique obtenu par les deux derniers vers de la tirade d'Abner : n'y avait-il pas eu déjà un effet analogue dans la première scène de la pièce? — Quelle impression saisissante doit, au vers 1628, produire l'assurance de Joad?

Votre austère vertu n'en peut être frappée[1].
Hé bien! trouvez-moi donc quelque arme, quelque épée;
1645 Et qu'aux portes du temple, où l'ennemi m'attend,
Abner puisse du moins mourir en combattant.

JOAD

Je me rends. Vous m'ouvrez un avis que j'embrasse.
De tant de maux, Abner, détournons la menace.
Il est vrai, de David un trésor est resté;
1650 La garde en fut commise[2] à ma fidélité.
C'était des tristes Juifs l'espérance dernière,
Que mes soins vigilants cachaient à la lumière.
Mais puisqu'à votre reine il faut le découvrir,
Je vais la contenter, nos portes vont s'ouvrir.
1655 De ses plus braves chefs qu'elle entre accompagnée :
Mais de nos saints autels qu'elle tienne éloignée
D'un ramas[3] d'étrangers l'indiscrète[4] fureur :
Du pillage du temple épargnez-moi l'horreur.
Des prêtres, des enfants lui feraient-ils quelque ombre[5]?
1660 De sa suite avec vous qu'elle règle le nombre.
Et quant à cet enfant si craint, si redouté,
De votre cœur, Abner, je connais l'équité;
Je vous veux devant elle expliquer[6] sa naissance :
Vous verrez s'il le faut remettre en sa puissance,
1665 Et je vous ferai juge entre Athalie et lui.

ABNER

Ah! je le prends déjà, seigneur, sous mon appui[7].
Ne craignez rien. Je cours vers celle qui m'envoie.

---

1. *Frappée :* touchée; 2. *Commise :* confiée; 3. *Ramas :* ramassis, sens péjoratif; 4. *Indiscret :* sans retenue, immodéré; 5. *Ombre :* ombrage; 6. *Expliquer :* dévoiler; 7. *Appui :* protection. Cette expression : *prendre sous son appui*, n'a trouvé grâce ni aux yeux de l'Académie ni à ceux de Littré.

QUESTIONS

● VERS 1629-1646. Soulignez l'importance, au point de vue dramatique, des vers 1629-1630. — Pourquoi Abner a-t-il attendu jusque-là pour parler de Mathan à Joad? — Quel est l'élément essentiel de la prière d'Abner? Rapprochez les vers 1634-1635 du vers 1624. — Quel trait du caractère d'Abner apparaît en pleine lumière aux vers 1639-1640? Pourquoi n'aurait-il pas fait plus tôt pareille proposition? — Comment les vers 1641-1643 pourraient-ils servir à caractériser le comportement de Joad dans toute cette pièce?

SCÈNE III. — JOAD, JOSABET, ZACHARIE, SALOMITH, ISMAËL, DEUX LÉVITES, LE CHŒUR.

JOAD

Grand Dieu, voici ton heure, on t'amène ta proie.
Ismaël, écoutez.
(Il lui parle à l'oreille.)

JOSABET

Puissant maître des cieux,
1670 Remets-lui le bandeau dont tu couvris ses yeux,
Lorsque, lui dérobant tout le fruit de son crime,
Tu cachas dans mon sein cette tendre victime!

JOAD

Allez, sage Ismaël, ne perdez point de temps;
Suivez de point en point ces ordres importants;
1675 Surtout qu'à son entrée, et que sur son passage
Tout d'un calme profond lui présente l'image.

QUESTIONS

● VERS 1647-1667. La décision de Joad a tout d'un coup de théâtre : comment Racine l'avait-il préparée cependant? — Pourquoi Joad entretient-il l'équivoque sur le mot *trésor* (vers 1649-1652)? — Dans ses notes manuscrites sur *Athalie*, Racine, prévoyant que la ruse et la fourberie du grand prêtre soulèveraient des critiques, avait cité plusieurs exemples de ruses semblables dans l'histoire sainte (il cite notamment Jésus et saint Laurent usant de paroles équivoques). Mais sa meilleure défense n'est-elle pas toutes les précautions qu'il a prises pour nous montrer la cruauté d'Athalie? — Quelle indication de mise en scène, importante pour la crédibilité de la fin, donne le vers 1655? — A aucun moment Joad ne parle de livrer l'enfant ou le trésor, est-ce chez lui, au moment même où il met sur pied une pareille ruse, le souci d'éviter le mensonge? — L'attitude d'Abner (vers 1666) est-elle nouvelle dans la pièce?

■ SUR L'ENSEMBLE DE LA SCÈNE II. — Pourquoi Joad n'a-t-il pas, dès la fin de cette scène, tout révélé à Abner? Ne néglige-t-il pas ainsi d'ajouter à son entreprise une importante chance de succès? N'est-ce pas, d'autre part, diminuer, aux yeux du spectateur, la grandeur d'Abner, qui jusqu'au bout sera dupe du grand prêtre?

— Distinguez les trois moments de cette scène : les explications d'Abner, ses supplications et la décision de Joad; rapprochez dans la seconde partie, le rôle que joue Joad de celui qu'il jouait avec Joas dans la scène II de l'acte IV : quel trait de son caractère est par là bien mis en lumière?

Vous, enfants, préparez un trône pour Joas;
Qu'il s'avance suivi de nos sacrés soldats.
Faites venir aussi sa fidèle nourrice,
1680 Princesse, et de vos pleurs que la source tarisse.
(A un lévite.)
Vous, dès que cette reine, ivre d'un fol orgueil,
De la porte du temple aura passé le seuil,
Qu'elle ne pourra plus retourner en arrière,
Prenez soin qu'à l'instant la trompette guerrière
1685 Dans le camp[1] ennemi jette un subit effroi.
Appelez tout le peuple au secours de son roi :
Et faites retentir jusques à son oreille
De Joas conservé l'étonnante merveille[2].
Il vient.

SCÈNE IV. — JOAD, JOSABET, JOAS, TROUPE DE PRÊTRES ET DE LÉVITES, ETC.

JOAD *continue.*

Lévites saints, prêtres de notre Dieu,
1690 Partout sans vous montrer environnez ce lieu;
Et, laissant à mes soins gouverner votre zèle,
Pour paraître attendez que ma voix vous appelle.
(Ils se cachent tous.)
Roi, je crois qu'à vos vœux cet espoir est permis,
Venez voir à vos pieds tomber vos ennemis.
1695 Celle dont la fureur poursuivit votre enfance
Vers ces lieux à grands pas pour vous perdre s'avance.

---

1. *Camp :* voir vers 1563 et la note; 2. La nouvelle extraordinaire et stupéfiante du salut de Joas.

QUESTIONS

■ SUR LA SCÈNE III. — Soulignez l'importance des pronoms personnels et du mot *proie* (vers 1668). Cette fin va avoir quelque chose de la mise à mort de la bête, spectacle éminemment tragique, mais comment Racine pourra-t-il éviter qu'on éprouve une certaine pitié pour Athalie?

— Pourquoi, pour la première fois dans la pièce, Racine nous cache-t-il l'ordre donné par Joad à un de ses hommes?

— Que rappelle, une fois de plus, au moment décisif, la prière émouvante de Josabet (v. vers 292-294)?

— Quelle qualité d'esprit souligne la rapidité des ordres successifs donnés par Joad?

Mais ne la craignez point. Songez qu'autour de vous
L'ange exterminateur[1] est debout avec nous.
Montez sur votre trône, et... Mais la porte s'ouvre :
1700 Permettez un moment que ce voile vous couvre.
(Il tire un rideau.)
Vous changez de couleur, princesse?

JOSABET

Ah! sans pâlir,
Puis-je voir d'assassins le temple se remplir?
Quoi! ne voyez-vous pas quelle nombreuse escorte...

JOAD

Je vois que du saint temple on referme la porte.
1705 Tout est en sûreté.

SCÈNE V. — ATHALIE, JOAS, *caché derrière le rideau,* JOAD, JOSABET, ABNER, SUITE D'ATHALIE.

ATHALIE, *à Joad.*

Te voilà, séducteur[2],
De ligues, de complots, pernicieux auteur,
Qui dans le trouble seul as mis tes espérances,
Eternel ennemi des suprêmes puissances!
En l'appui[3] de ton Dieu tu t'étais reposé :
1710 De ton espoir frivole es-tu désabusé?
Il laisse en mon pouvoir et son temple et ta vie.
Je devrais sur l'autel où ta main sacrifie

---

1. *L'ange exterminateur :* voir vers 409 et la note; 2. *Séducteur :* qui détourne du droit chemin; 3. *Appui :* voir vers 1666 et la note.

QUESTIONS

■ SUR LA SCÈNE IV. — Qu'est-ce qui rend indispensable l'indication scénique *continue?*

— Quel effet produisent la disparition successive des lévites et de Joas, et la scène soudain vidée avant l'entrée de la reine? Comment voyez-vous la place du chœur?

— La ressemblance du vers 1696 et du vers 112 de *Britannicus* suggère un rapprochement entre Agrippine et Athalie : jusqu'où peut-il aller? Pourquoi le rappel, au vers 1698, de l'ange exterminateur des vers 409-410?

— La valeur des points de suspension aux vers 1699 et 1703.

— Comment Racine utilise-t-il l'effroi de Josabet? Rapprochez les vers 1703 et 1655.

— Quel jeu de scène implique le vers 1704?

Te... Mais du prix qu'on m'offre il faut me contenter.
Ce que tu m'as promis, songe à l'exécuter.
1715 Cet enfant, ce trésor qu'il faut qu'on me remette,
Où sont-ils?

JOAD

Sur-le-champ tu seras satisfaite :
Je te les vais montrer l'un et l'autre à la fois.
(Le rideau se tire[1]*.)*
Paraissez, cher enfant, digne sang de nos rois.
Connais-tu[2] l'héritier du plus saint des monarques[3],
1720 Reine? De ton poignard connais du moins ces marques.
Voilà ton roi, ton fils, le fils d'Okosias.
Peuples, et vous, Abner, reconnaissez Joas.

ABNER

Ciel!

ATHALIE, *à Joad.*

Perfide!

JOAD

Vois-tu cette Juive fidèle[4],
Dont tu sais bien qu'alors il suçait la mamelle?
Il fut par Josabet à ta rage enlevé.

---

1. Dans l'édition de 1736, au lieu de cette brève indication scénique, on lit : « Le rideau étant tiré, on voit Joas sur son trône : sa nourrice est à genoux à sa droite, Azarias, l'épée à la main, est debout à sa gauche; et près de lui, Zacharie et Salomith sont à genoux sur les degrés du trône : plusieurs lévites, l'épée à la main, sont rangés sur les côtés »; **2.** *Connaître :* reconnaître; **3.** *Du plus saint des monarques :* David; **4.** *Cette Juive fidèle :* la nourrice (voir vers 1519 et 1679).

QUESTIONS

● VERS 1706-1717. Pourquoi Racine a-t-il tant attendu pour mettre Athalie et Joad face à face sous nos yeux? — A travers Joad, qui Athalie cherche-t-elle toujours à atteindre (vers 1709-1710)? — Athalie justifie-t-elle le *il faut* du vers 1713? — Quel effet éminemment tragique est obtenu par l'équivoque jusqu'au bout maintenue entre l'enfant et le trésor (vers 1715 et 1717)? Cherchez-en d'autres exemples dans la tragédie classique et la tragédie grecque. — Pourquoi le *tu* aux vers 1709, 1710, 1714, 1716 entre Athalie et le grand prêtre?

● VERS 1718-1730. Effet produit par le rejet de *Reine* et l'inversion de *poignard* au vers 1720. Quel artifice de mise en scène est impliqué par la fin de ce vers? — Sur quelle progression est bâti le vers 1721? — A qui s'adresse *Peuples*, au vers 1722? — Pendant un moment, tous les regards sont tournés sur la nourrice : l'utilisation d'un personnage muet est-elle fréquente dans la tragédie classique? — Athalie est-elle réellement convaincue par les preuves que donne Joad? — La noblesse grandiose du vers 1730 : comment se justifient pleinement tous les mots de la périphrase employée?

1725 Ce temple le reçut, et Dieu l'a conservé.
Des trésors de David voilà ce qui me reste.

ATHALIE

Ta fourbe[1] à cet enfant, traître, sera funeste.
D'un fantôme odieux, soldats, délivrez-moi.

JOAD

1730 Soldats du Dieu vivant[2], défendez votre roi.
(Ici le fond du théâtre s'ouvre. On voit le dedans du temple, et les lévites armés sortent de tous côtés sur la scène.)

ATHALIE

Où suis-je? O trahison, ô reine infortunée!
D'armes et d'ennemis je suis environnée.

JOAD

Tes yeux cherchent en vain, tu ne peux échapper,
Et Dieu de toutes parts a su t'envelopper.
1735 Ce Dieu que tu bravais en nos mains t'a livrée :
Rends-lui compte du sang dont tu t'es enivrée[3].

ATHALIE

Quoi! la peur a glacé mes indignes soldats?
Lâche Abner, dans quel piège as-tu conduit mes pas?

ABNER

Reine, Dieu m'est témoin...

ATHALIE

Laisse là ton Dieu, traître,
1740 Et venge-moi.

1. *Fourbe* : fourberie; 2. *Dieu vivant* : voir vers 1497; 3. Apocalypse, XVII, 6 : « Je vis cette femme enivrée du sang des saints et du sang des martyrs ».

QUESTIONS

● VERS 1731-1744. N'y a-t-il pas chez Joad, au vers 1733, une certaine férocité? — Qu'impose, une fois de plus, à ce moment décisif, la répétition de *Dieu* (vers 1734-1735)? — Pourquoi, au vers 1736, le rappel violent des crimes d'Athalie? — Montrez comment son essai de justification au vers 1739 achève admirablement la peinture du caractère d'Abner. — Comment le rythme traduit-il l'animation des paroles d'Athalie (vers 1739-1740)? — S'attendait-on à voir Abner adopter cette attitude (vers 1740)? — Importance, pour la mise en scène, du vers 1743. — Qu'a voulu obtenir Racine avec l'ultime hésitation créée par le vers 1744 sur l'issue du drame?

ABNER, *se jetant aux pieds de Joas.*

Sur qui? Sur Joas! sur mon maître!

ATHALIE

Lui, Joas? lui, ton roi? Songez, méchants, songez
Que mes armes encor vous tiennent assiégés.
J'entends à haute voix tout mon camp[1] qui m'appelle.
On vient à mon secours. Tremblez, troupe rebelle.

SCÈNE VI. — ISMAËL, JOAS, JOAD, ATHALIE, ETC.

ISMAËL, *à Joad.*

1745 Seigneur, le temple est libre et n'a plus d'ennemis.
L'étranger est en fuite, et le Juif est soumis[2].
Comme le vent dans l'air dissipe la fumée[3],
La voix du Tout-Puissant a chassé cette armée.
Nos lévites, du haut de nos sacrés parvis,
1750 D'Okosias au peuple ont annoncé le fils,
Ont conté son enfance au glaive dérobée,
Et la fille d'Achab dans le piège tombée.
Partout en même temps la trompette a sonné :
Et ses sons et leurs cris dans son camp étonné
1755 Ont répandu le trouble et la terreur subite
Dont Gédéon frappa le fier Madianite[4].
Les Tyriens, jetant armes et boucliers,
Ont, par divers chemins, disparu les premiers;

1. *Camp :* voir vers 1563 et la note; 2. C'est-à-dire les Tyriens *(l'étranger)* et les « infidèles Hébreux » *(le Juif)* [Voir vers 1340] ; 3. Psaumes, LXVIII, 3 : « Comme se dissipe la fumée, tu disperses ses ennemis »; 4. Dans le livre des Juges (VII, 16-22), le bruit de l'armée juive suffit à frapper de panique l'ennemi.

QUESTIONS

■ SUR L'ENSEMBLE DE LA SCÈNE V. — En quoi les quatre coups de théâtre successifs de cette scène (l'apparition de Joas, celle des lévites, la trahison d'Abner, l'ultime espérance d'Athalie) la distinguent-ils nettement des habituelles scènes de dénouement chez Racine?

— Commentez ces lignes de Voltaire dans son *Discours sur la tragédie :* « La seule pièce où M. Racine ait mis du spectacle, c'est son chef-d'œuvre d'*Athalie*. On y voit un enfant sur son trône, sa nourrice et des prêtres qui l'environnent, une reine qui commande à ses soldats de le massacrer, des lévites armés qui accourent pour le défendre. Toute cette action est pathétique. »

Quelques Juifs éperdus ont aussi pris la fuite;
1760 Mais, de Dieu sur Joas admirant la conduite[1],
Le reste à haute voix s'est pour lui déclaré.
Enfin, d'un même esprit tout le peuple inspiré,
Femmes, vieillards, enfants, s'embrassant avec joie
Bénissent le Seigneur et celui qu'il envoie.
1765 Tous chantent de David le fils ressuscité.
Baal est en horreur dans la sainte cité;
De son temple profane on a brisé les portes;
Mathan est égorgé.

ATHALIE

Dieu des Juifs, tu l'emportes!
Oui, c'est Joas; je cherche en vain à me tromper.
1770 Je reconnais l'endroit où je le fis frapper;
Je vois d'Okosias et le port et le geste;
Tout me retrace[2] enfin un sang que je déteste[3].
David, David triomphe : Achab seul est détruit.
Impitoyable Dieu, toi seul as tout conduit.
1775 C'est toi qui, me flattant d'une vengeance aisée,
M'as vingt fois en un jour à moi-même opposée,
Tantôt pour un enfant excitant mes remords,
Tantôt m'éblouissant de tes riches trésors
Que j'ai craint de livrer aux flammes, au pillage.
1780 Qu'il règne donc ce fils, ton soin[1] et ton ouvrage;

---

1. *La conduite :* le dessein, les vues de Dieu sur Joas, terme théologique; 2. *Retracer :* rappeler le souvenir de; 3. *Détester :* maudire; 4. *Ton soin :* l'objet de tes soins.

QUESTIONS

● VERS 1745-1768. Comparez, pour la longueur, ce récit aux récits habituels à l'acte V, chez Racine : quelle conclusion en tirez-vous? — Il y a, à partir du vers 1749, trois parties dans ce récit : lesquelles? — Valeur poétique et psychologique de l'image du vers 1747, du rappel historique dans le vers 1757. — Pourquoi Racine fait-il se terminer le récit du lévite sur la brièveté brutale d'un fait sans la moindre phrase de conclusion?

● VERS 1768-1779. Pourquoi Athalie s'adresse-t-elle à Dieu? Oublie-t-elle Joad (vers 1768)? — Pourquoi éprouve-t-elle le besoin de reconnaître officiellement Joas? — Qu'exprime la répétition de *David* (vers 1773)? — En quoi cette reconnaissance de son destin par le personnage principal est-elle essentielle au plaisir tragique? Comparez, de ce point de vue, la fin d'*Athalie* et celle d'*Œdipe roi*. — Comment les vers 1775-1779 nous donnent-ils la clé de toutes les bizarreries du comportement de la reine depuis le début de la pièce? A quoi, dans ce cas, se trouve réduite l'analyse psychologique du personnage? En était-il tout à fait de même pour Phèdre?

Et que, pour signaler son empire nouveau,
On lui fasse en mon sein enfoncer le couteau!
Voici ce qu'en mourant lui souhaite sa mère :
Que dis-je, souhaiter! Je me flatte, j'espère
1785 Qu'indocile à ton joug, fatigué de ta loi,
Fidèle au sang d'Achab qu'il a reçu de moi,
Conforme à son aïeul, à son père[1] semblable,
On verra de David l'héritier détestable[2]
Abolir[3] tes honneurs, profaner ton autel,
1790 Et venger Athalie, Achab et Jézabel.

JOAD

Qu'à l'instant hors du temple elle soit emmenée,
Et que la sainteté n'en soit pas profanée.
Allez, sacrés vengeurs de vos princes meurtris[4],
De leur sang par sa mort faire cesser les cris[5].
1795 Si quelque audacieux embrasse sa querelle[6],
Qu'à la fureur du glaive on le livre avec elle[7].

---

1. *Son aïeul :* Joram; *son père :* Okosias; **2.** *Détestable :* maudit; **3.** *Abolir :* réduire à néant; **4.** *Meurtris :* tués par meurtre; **5.** *Les cris :* image biblique (voir vers 89 et la note); **6.** *Querelle :* cause; **7.** Deuxième livre des Chroniques, XXIII, 14. (Voir la Documentation thématique.)

QUESTIONS

● VERS 1780-1790. La malédiction d'Athalie sur son petit-fils : quels sont les deux arguments qui la rendent parfaitement raisonnable? Quels souvenirs, dans l'esprit du spectateur, la rendent plus pathétique encore (voir vers 1142)? — Quel effet produit la triple répétition de *David* et d'*Achab* dans toute cette tirade et les trois noms propres du vers 1790?

● VERS 1791-1796. Racine a-t-il du mal à se conformer à l'exigence de Boileau (*Art poétique*, chant III, vers 51)? — En quoi l'expression *la fureur du glaive* est-elle plus hardie et poétique que, par exemple, *l'horreur de la nuit* (vers 490)?

■ SUR L'ENSEMBLE DE LA SCÈNE VI. — Quel effet produit, après l'agitation de la scène précédente et la succession de ses répliques brèves, la simplicité ample des trois moments de celle-ci : le récit d'Ismaël, les imprécations d'Athalie, l'ordre donné par Joad?

— Comparez les imprécations d'Athalie à celles de Camille dans *Horace*, de Cléopâtre dans *Rodogune*, et d'Agrippine dans *Britannicus.* Auquel des deux derniers personnages Athalie ressemble-t-elle le plus, selon vous?

— Si Athalie ne nous est pas pleinement odieuse, l'expliqueriez-vous comme François Mauriac lorsqu'il écrit : « Racine n'a peut-être pas conscience de son plaisir lorsqu'il souffle à la vieille reine indomptable cet affreux courage de braver Dieu, le couteau sur la gorge. Lui qui a choisi de se soumettre, de servir en tremblant, il ne sait pas qu'une part de lui-même se satisfait de ces blasphèmes et se grise de cette audace désespérée. »

SCÈNE VII. — JOAS, JOAD, JOSABET, ABNER, ETC.

JOAS

Dieu, qui voyez mon trouble et mon affliction,
Détournez loin de moi sa malédiction,
Et ne souffrez jamais qu'elle soit accomplie.
1800 Faites que Joas meure avant qu'il vous oublie.

JOAD, *aux lévites.*

Appelez tout le peuple, et montrons-lui son roi;
Qu'il lui vienne en ses mains renouveler sa foi[1].
Roi, prêtres, peuple, allons, pleins de reconnaissance,
De Jacob avec Dieu confirmer l'alliance[2],
1805 Et, saintement confus de nos égarements,
Nous rengager à lui[3] par de nouveaux serments.
Abner, auprès du roi reprenez votre place.

SCÈNE VIII. — UN LÉVITE, JOAS, JOAD, ETC.

JOAD, *au lévite.*

Hé bien! de cette impie a-t-on puni l'audace?

LE LÉVITE

Le fer a de sa vie expié[4] les horreurs.
1810 Jérusalem, longtemps en proie à ses fureurs,
De son joug odieux à la fin soulagée,
Avec joie en son sang la regarde plongée.

1. *Foi :* serment de fidélité; 2. Il s'agit de l'alliance avec le peuple hébreu, en général désigné sous le nom de *Jacob*, comme au vers 1140; 3. *Nous rengager à lui :* nous engager de nouveau envers lui; 4. *Expié :* fait expier, puni.

QUESTIONS

■ SUR LA SCÈNE VII. — Pourquoi Racine a-t-il voulu montrer Joas profondément touché par la malédiction de la reine? Montrez qu'il prépare ainsi une autre tragédie, où cette malédiction jouera le rôle qu'a joué le songe dans celle qui s'achève.

— Quel effet produit l'ordre de l'énumération dans le premier hémistiche du vers 1803?

— Dégagez l'importance des vers 1802 et 1806.

— Pourquoi est-ce Joad et non Joas qui engage Abner à reprendre son ancienne place?

JOAD

Par cette fin terrible, et due à ses forfaits,
Apprenez, roi des Juifs, et n'oubliez jamais
1815 Que les rois dans le ciel ont un juge sévère,
L'innocence un vengeur, et l'orphelin un père[1].

---

1. On a rapproché ces derniers vers de ceux d'Euripide : *Ion*, 1621-1622.

QUESTIONS

■ Sur la scène viii. — Pourquoi Racine a-t-il évité le récit de la mort même d'Athalie? A quel mot tient la puissance suggestive du vers 1812?

— Pourquoi les derniers mots de la pièce sont-ils une leçon morale adressée à Joas et non à l'ensemble des Juifs présents?

— La périphrase *roi des Juifs* est discutable : Joas ne règne pas sur tous les Juifs, mais sur ceux seulement du royaume de Juda. Pourquoi Racine a-t-il tenu cependant à la mettre dans la bouche de Joad?

— La leçon des vers 1815-1816 renouvelle celle des vers 1407-1408 : pourquoi cette insistance, et sur quelle impression ce rappel termine-t-il la pièce?

■ Sur l'ensemble de l'acte V. — Comment Racine a-t-il, jusqu'au bout dans cet acte, pu maintenir l'équilibre entre les récits et les moments d'action? Comparez, de ce point de vue, cet acte à l'acte V de *Britannicus*.

— Marquez les étapes successives dans la progression de l'émotion tragique. Montrez comment, grâce à la prophétie, à la malédiction et à l'ultime leçon de Joad, elle n'est pas, malgré la mort d'Athalie, pleinement dissipée à la fin de la pièce.

— Pourquoi, depuis le vers 1677, le chœur n'a-t-il plus été utilisé par Racine? Pourquoi cet acte est-il le seul à se terminer sans chant du chœur? N'attendrait-on pas normalement un *Te Deum?*

DOCUMENTATION THÉMATIQUE
réunie par la rédaction des Nouveaux Classiques Larousse

1. Racine, lecteur de la Bible.
2. Un sujet biblique.
3. La fidélité de détail à la Bible.
4. L'atmosphère biblique.
5. Dieu dans *Athalie*.
6. *Athalie*, tragédie biblique française.

1. RACINE, LECTEUR DE LA BIBLE

Au XVIIe siècle, contrairement à ce que l'on pense souvent, l'Église n'interdisait pas la lecture de la Bible aux catholiques; elle entourait seulement cette lecture de précautions. C'est ce qu'exprime Fénelon, dans une lettre à l'évêque d'Arras : « Ma pensée est qu'il ne faut jamais séparer ces deux maximes de l'Église : l'une est de ne donner l'Écriture qu'à ceux qui sont déjà bien préparés à la lire avec fruit, l'autre de travailler sans relâche à y préparer le plus grand nombre possible de fidèles. » Or, la première de ces deux catégories comprenait à peu près l'ensemble des classes dirigeantes. L'abbé Delfour note dans l'introduction de sa thèse, *la Bible dans Racine* « La Bible embrassait et pénétrait la vie morale toute entière de l'aristocratie et de la bourgeoisie. » Et plus loin : « De toutes parts, l'esprit et surtout la morale de la Bible arrivaient, par une sorte d'infiltration lente, dans l'intelligence des fidèles. Conçoit-on quelle somme de connaissances exégétiques devait réunir l'élite de la société au XVIIe siècle? Sous la direction des plus grands maîtres, elle appliquait toutes les forces vives de son intelligence à l'étude respectueuse du Livre. » Les écrivains, les poètes ne pouvaient guère échapper au courant religieux qui entraînait la société éclairée du XVIIe siècle vers l'étude de la Bible.

Et Jean Racine devait être, à l'époque où il écrit ses pièces bibliques, particulièrement imprégné de la Bible en raison, d'une part, de son éducation et du milieu dans lequel il avait passé sa jeunesse, et, d'autre part, de sa conversion. Le pasteur Athanase Coquerel, qui a publié une édition d'*« Athalie » et « Esther », avec un commentaire biblique*, écrit dans l'introduction de cet ouvrage : « Louis Racine, dans une de ses lettres, dit des beaux esprits ses contemporains :

> Ils ne comprendront pas que mon père ait eu si sincèrement de la religion.

La preuve de la justesse de cette pensée est dans les *Mémoires*, où on lit :

> A la prière qu'il faisait tous les soirs au milieu de ses enfants et de ses domestiques, quand il était à Paris, il ajoutait la lecture de l'Évangile du jour, que souvent il expliquait lui-même par une courte exhortation proportionnée à la portée de ses auditeurs, et prononcée avec cette âme qu'il donnait à tout ce qu'il disait. Pour occuper de lectures pieuses Monsieur de Seignelay malade, il allait lui lire les Psaumes; cette lecture le mettait dans une espèce d'enthousiasme, dans lequel il faisait sur-le-champ une paraphrase du Psaume.

« Plus loin :

> [...] il employait son temps à lire l'Écriture sainte qui lui inspirait des réflexions pieuses qu'il mettait quelquefois par écrit.

Ce témoignage suffit pour expliquer à quel point la Bible est devenue familière au grand poète. » A. Coquerel se demande ensuite quelle version de la Bible utilisait Racine, et répond que, la version française de Port-Royal n'étant pas achevée, c'était sans doute la Vulgate (c'est-à-dire une version en latin). Il est probable qu'il a aussi utilisé des traductions françaises, notamment à cause des commentaires qui les accompagnaient, pour écrire ses pièces bibliques. Il n'a pas utilisé la version grecque. D'autre part il ne savait pas l'hébreu. Ce problème des versions de la Bible utilisée par Racine n'est pas sans intérêt : nous savons ainsi que Racine n'a jamais eu à sa disposition que des traductions (latine ou française) peu fidèles, et donc peu « hébraïques ».

2. UN SUJET BIBLIQUE

Cette grande familiarité avec la Bible explique que Racine ait tiré de l'Écriture les sujets de l'un et l'autre des « poèmes moraux et historiques » demandés par Mme de Maintenon. Le sujet d'*Athalie* est tiré de la Bible, mais, pour le traiter, Racine a eu d'autres sources d'inspiration. Il n'est pas certain qu'il ait eu connaissance des deux pièces de collège déjà écrites sur ce sujet, mais il a fait des emprunts aux tragiques grecs — de peu d'importance du point de vue du fond. Et Georges Mongrédien a pu écrire : « La seule source d'inspiration, c'est la Bible... »

Il y a dans cette dernière deux histoires d'Athalie. Le premier récit est tiré du deuxième livre des Rois, chapitre XI. Le voici (Bible de l'École biblique de Jérusalem, Paris, Éd. du Cerf, 1961) :

> [1]Lorsque la mère d'Ochozias, Athalie, eut appris que son fils était mort, elle extermina toute la descendance royale. [2]Mais Yehosheba, fille du roi Joram et sœur d'Ochozias, retira furtivement Joas, son neveu, du groupe des fils du roi qu'on massacrait et elle le mit, avec sa nourrice, dans la chambre des lits; elle le déroba ainsi à Athalie et il ne fut pas mis à mort. [3]Il resta six ans avec elle, caché dans le temple de Yahvé, pendant qu'Athalie régnait sur le pays.
>
> [4]La septième année, Yehoyada envoya chercher les centeniers des Cariens et des gardes et les fit venir auprès de lui, dans le Temple de Yahvé. Il conclut un pacte avec eux, leur fit prêter serment et leur montra le fils du roi. [5]Il leur donna cet ordre : « Voici ce que vous allez faire : le tiers d'entre vous, la garde descendante du jour du sabbat, qui prend la faction au palais royal, (6)[7] et vos deux autres sections, toute la garde montante du jour du sabbat, qui prend la faction du temple de Yahvé, [8]vous ferez un cercle autour du roi; chacun aura ses armes à la main et quiconque voudra forcer vos rangs sera mis à mort. Vous accompagnerez le roi dans ses allées et venues. »

[9]Les centeniers firent tout ce que leur avait ordonné le prêtre Yehoyada. Ils prirent chacun leurs hommes, la garde descendante du jour du sabbat en même temps que la garde montante du jour du sabbat, et vinrent auprès du prêtre Yehoyada. [10]Le prêtre donna aux centeniers les lances et les boucliers du roi David qui étaient dans le temple de Yahvé. [11]Les gardes se rangèrent, leurs armes à la main, depuis l'angle sud jusqu'à l'angle nord du Temple, entourant l'autel et le temple. [12]Alors Yehoyada fit sortir le fils du roi, lui imposa le diadème et les bracelets et lui donna l'onction royale. On battit des mains et on cria « Vive le roi! ».

[13]Entendant la clameur populaire, Athalie se rendit vers le peuple au temple de Yahvé. [14]Quand elle vit le roi debout près de la colonne, selon l'usage, les chefs et les trompettes près du roi, tout le peuple du pays exultant de joie et sonnant de la trompette, Athalie déchira ses vêtements et cria « Trahison! Trahison! » [15]Alors le prêtre Yehoyada donna ordre aux commandants de la troupe : « Faites-la sortir hors des parvis, leur dit-il, et si quelqu'un la suit, qu'on le passe au fil de l'épée »; car le prêtre s'était dit : « il ne faut pas qu'elle soit tuée dans le temple de Yahvé ». [16]Ils mirent la main sur elle et, quand elle arriva au palais royal par l'entrée des Chevaux, là elle fut mise à mort.

[17]Yehoyada conclut entre Yahvé, le roi et le peuple l'alliance par laquelle celui-ci s'obligeait à être le peuple de Yahvé; de même entre le roi et le peuple. [18]Tout le peuple du pays se rendit ensuite au temple de Baal et le démolit; on brisa de belle façon ses autels et ses images et on tua Mattâm, prêtre de Baal, devant les autels.

Le prêtre établit des postes de surveillance pour le temple de Yahvé, [19]puis il prit les centeniers, les Cariens et les gardes, et tout le peuple du pays. Ils firent descendre le roi du temple de Yahvé et entrèrent au palais par la porte des Gardes. Joas s'assit sur le trône des Rois. [20]Tout le peuple du pays était en liesse et la ville ne bougea pas. Quant à Athalie, on la fit périr par l'épée dans le palais royal.

L'introduction aux livres des Rois, des commentateurs de l'École biblique de Jérusalem, se termine par ces mots :

Les livres des Rois doivent être lus dans l'esprit où ils ont été écrits, comme une histoire du salut. L'ingratitude du peuple élu, la ruine successive des deux fractions de la nation paraissent tenir en échec le plan de Dieu, mais il y a toujours pour sauvegarder l'avenir un groupe de fidèles qui n'ont pas plié le genou devant Baal, un reste de Sion qui garde l'alliance. La stabilité des résolutions divines se manifeste dans la permanence étonnante de la lignée davidique, dépositaire des formes messianiques, et le livre, sous sa forme dernière, se clôt sur la grâce faite à Joiakîm, comme sur l'aurore d'une rédemption.

Ces lignes des commentateurs modernes se rapportent à l'ensemble des livres des Rois. Ne pourraient-elles pas s'appliquer à la pièce de Racine elle-même? Cela montrerait à quel point Racine a compris la Bible.

On trouve l'autre récit, la seconde histoire d'Athalie, qui d'ailleurs ressemble beaucoup à la première, dans le deuxième livre des Chroniques (chap. XXII, 9-12, et chap. XXIII). Les livres des Chroniques (d'après le titre hébreu; la Bible grecque et la Vulgate les appellent « Paralipomènes », c'est-à-dire les livres qui donnent les choses omises, qui apportent un complément) sont d'une date postérieure aux livres des Rois.

XXII[9] [Après l'exécution d'Ochozias par Jéhu] il n'y avait personne dans la maison d'Ochozias qui fût en mesure de régner. [10]Lorsque la mère d'Ochozias, Athalie, eut appris que son fils était mort, elle entreprit d'exterminer toute la descendance royale de la maison de Juda. [11]Mais Yehoshéba, fille du roi, retira furtivement Joas, fils d'Ochozias, du groupe des fils du roi qu'on massacrait, et elle le mit, avec sa nourrice, dans la chambre des lits. Ainsi Yehoshéba, fille du roi Joram, et femme du prêtre Yehoyada (et elle était sœur d'Ochozias), put le soustraire à Athalie et éviter qu'elle ne le tuât. [12]Il resta six ans avec eux, caché dans le temple de Dieu, pendant qu'Athalie régnait sur le pays.

XXIII [1]La septième année, Yehoyada se décida; il envoya chercher les officiers de centaines, Azarya fils de Yeroham, Yishmaël fils de Yehohamân, Azaryahu fils d'Obed, Maaséyahu fils d'Adayahu, Elishaphat fils de Zikon, et s'unit à eux par un pacte. [2]Ils parcoururent Juda, rassemblèrent les lévites de toutes les cités judéennes et les chefs de familles israélites. Ils vinrent à Jérusalem [3]et toute cette assemblée conclut un pacte avec le roi dans le temple de Dieu. « Voici le fils du roi, leur dit Yehoyada. Qu'il règne, comme l'a déclaré Yahvé des fils de David! [4]Voici ce que vous allez faire : tandis que le tiers d'entre vous, prêtres, lévites et portiers de seuils, entrera pour le sabbat, [5]un tiers se trouvera au palais royal, un tiers à la porte du Fondement et tout le peuple dans le parvis du temple de Yahvé. [6]Que personne n'entre dans le temple de Yahvé, sinon les prêtres et les lévites de service, car ils sont consacrés. Tout le peuple observera les ordonnances de Yahvé. [7]Les lévites feront cercle autour du roi, chacun ses armes à la main, et ils accompagneront le roi partout où il ira; mais quiconque entrera dans le temple sera mis à mort. »

[8]Les lévites et tous les Judéens firent tout ce que leur avait ordonné le prêtre Yehoyada. Ils prirent chacun leurs hommes,

ceux qui commençaient la semaine et ceux qui la terminaient, le prêtre Yehoyada n'ayant exempté aucune des classes. [9]Puis le prêtre donna aux centeniers les lances, les rondaches et les boucliers du roi David, qui étaient dans le Temple de Dieu.

[10]Il rangea tout le peuple, chacun son arme à la main, depuis l'angle sud jusqu'à l'angle nord du temple, entourant l'autel et le temple pour faire cercle autour du roi. [11]On fit alors sortir le fils du roi, on lui imposa le diadème et la loi, on le fit roi. Puis Yehodaya et ses fils l'oignirent et crièrent : « Vive le roi! »

[12]Entendant les cris du peuple qui se précipitait vers le roi et l'acclamait, Athalie se rendit vers le peuple au temple de Yahvé. [13]Quand elle vit le roi debout près de la colonne, à l'entrée, les chefs et les trompettes auprès du roi, tout le peuple du pays exultant de joie et sonnant de la trompette, les chantres avec les instruments de musique dirigeant le chant des hymnes, Athalie déchira ses vêtements et s'écria : « Trahison! Trahison! » [14]Alors le prêtre Yehoyada fit sortir les centeniers, qui commandaient la troupe, et leur dit : « Faites-la sortir hors des rangs, et si quelqu'un la suit, qu'il soit passé au fil de l'épée »; car le prêtre avait dit : « Ne la tuez pas dans le temple de Yahvé. » [15]Ils mirent la main sur elle et, quand elle arriva au palais royal, à l'entrée de la porte des Chevaux, là ils la mirent à mort.

[16]Yehoyada conclut entre tout le peuple et le roi une alliance par laquelle le peuple s'obligeait à être le peuple de Yahvé. [17]Tout le peuple se rendit ensuite au temple de Baal et le démolit; on brisa ses autels et ses images et on tua Mattâm, prêtre de Baal, devant les autels.

[18]Yehoyada remit aux mains des prêtres lévites la surveillance du temple de Yahvé. C'est à eux que David avait donné pour part le temple de Yahvé afin d'offrir les holocaustes de Yahvé, comme il est écrit dans la Loi de Moïse, dans la joie et avec des chants, selon les ordres de David. [19]Il installa des portiers aux entrées du temple de Yahvé pour qu'en aucun cas un homme impur n'y pénètre. [20]Puis il prit les centeniers, les notables, ceux qui avaient une autorité publique et tout le peuple du pays; et il fit descendre le roi du temple de Yahvé. Ils entrèrent au palais royal par la voûte centrale de la porte supérieure et ils firent asseoir le roi sur le trône royal. [21]Tout le peuple du pays était en liesse, et la ville ne bougea pas. Quant à Athalie, on la fit périr par l'épée.

On étudiera l'utilisation faite par Racine de ces deux textes : le rôle de Joad (Yehoyada) dans le livre des Rois et dans celui des Chroniques. A. Coquerel remarque : « Mais une différence essentielle reste à noter. Selon les Rois la révolution est militaire pour ainsi dire; selon les Chroniques elle est sacerdotale. » En effet le livre des Rois parle seulement de Cariens (ce sont des mercenaires originaires d'Asie Mineure), de gardes, et de leurs centeniers (chef militaire — on trouve dans certaines traductions : centurions), tandis que les Chroniques nous montrent les lévites et les Judéens exécutant les ordres du grand prêtre. Laquelle des deux sources Racine a-t-il suivie dans sa tragédie? On étudiera notamment à qui est confiée la défense de Joas et du temple, le rôle d'Abner et de l'armée chez Racine et dans les deux textes de la Bible.

Bien entendu, Racine ne s'est pas contenté d'utiliser les deux passages cités. Il s'est inspiré de toute la Bible, du moins de tout l'Ancien Testament, et dans une moindre mesure du Nouveau Testament. « Tous les ouvrages de l'Ancien Testament sont cités, dans les deux tragédies du poète, depuis la Genèse jusqu'à Malachie », remarque l'abbé Delfour.

Enfin, Racine a compulsé les historiens anciens (Josèphe, Sulpice Sévère) et modernes (l'anglican Lightfoot, et aussi Bossuet). L'influence de ce dernier est manifeste : Racine était pénétré du *Discours sur l'histoire universelle*. Pour l'abbé Delfour, « c'est à l'école de Bossuet que Racine a pu apprendre comment on fait parler français aux nabis de l'Ancienne Loi ».

Néanmoins, du point de vue de l'histoire, la source restait les deux textes des *Rois* et des *Chroniques*, les historiens que Racine pourrait consulter n'ayant guère fait que des commentaires de ces deux textes. L'histoire ne fournissait à Racine que trois faits : la survivance de Joas, son couronnement par Joad et la mort d'Athalie. Racine a pu faire vraiment œuvre de créateur. L'expérience d'*Esther* avait sans doute appris à Racine qu'il était difficile de « remplir toute l'action » d'une tragédie avec les « seules scènes » fournies par la Bible.

On montrera que, dans *Athalie*, il change de méthode : il emprunte à l'histoire sacrée les principaux personnages Athalie, Joad, Joas, Josabeth, Zacharie, l'événement fondamental et le cadre historique, sans plus. On étudiera dans quelle mesure la construction du drame, la conception des caractères, c'est-à-dire toute la tragédie est de lui. Ce système lui permet d'ailleurs d'être beaucoup plus « fidèle à l'Écriture Sainte » que dans *Esther*, dit K. Loukovitch *(l'Évolution de la tragédie religieuse en France)*. Mais les personnages mis en scène par Racine « citent » la Bible tout le temps. On la retrouve derrière chaque tirade et presque chaque repartie.

3. LA FIDÉLITÉ DE DÉTAIL À LA BIBLE

Les deux textes de la Bible qui rapportent l'histoire d'Athalie sont des textes assez peu religieux. On n'y voit pas Dieu agir, on n'entend pas Dieu parler. Ces récits ne font que relater l'histoire d'une révolution. Or, on a dit de la pièce de Racine qu'elle n'était que l'histoire d'une révolution de palais, l'histoire d'une conspiration dans laquelle le plus habile gagnait. En réalité, la tragédie de Racine n'est-elle pas infiniment plus que le récit d'une révolution qui réussit?

On essaiera de voir en quoi et comment Racine a fait, du simple récit biblique, un drame qui est une lutte entre l'homme et Dieu, et où se joue le salut de l'humanité.

Il est impossible de rapporter tous les passages de la Bible qui ont inspiré Racine, néanmoins nous pouvons en rapporter quelques-uns : les sources de quelques passages importants de la pièce de Racine, par exemple la prophétie de Joad, ou des passages permettant une bonne comparaison entre le texte de la Bible et celui d'*Athalie*.

◆ Acte I, scène IV, vers 332 et suivants, chantés par une voix du chœur : le passage est tiré de l'Exode, chap. XIX :

> [16]Or le surlendemain, au lever du jour, il y eut, sur la montagne, des tonnerres, des éclairs, une épaisse nuée accompagnée d'un puissant son de trompe, et, dans le camp tout le peuple trembla. [...] [18]La montagne du Sinaï était toute fumante parce que Yahvé y était descendu sous forme de feu. La fumée s'en élevait comme d'une fournaise et toute la montagne tremblait violemment. [19]Il y eut un son de trompe qui allait s'amplifiant. Moïse parlait, et Dieu lui répondait par des coups de tonnerre.

◆ On parle plusieurs fois dans *Athalie* de la mort de Jézabel, et en particulier dans le « songe » d'Athalie (acte II, scène V). Le récit du meurtre de Jézabel se trouve, dans la Bible, au chapitre IX du deuxième livre des Rois :

> [Jéhu a tué le roi d'Israël Joram, fils de Jézabel, et le roi de Juda Ochozias, puis] [30]Jéhu rentra à Yizriel et Jézabel l'apprit. Elle se farda les yeux, s'orna la tête, se mit à la fenêtre[31] et, lorsque Jéhu franchit la porte, elle dit : « Cela va-t-il bien, Zimri, assassin de son maître? » Jéhu leva la tête vers la fenêtre et dit : « Qui est avec moi, qui? » et deux ou trois eunuques se penchèrent vers lui. [33]Il dit : « Jetez-la en bas. » Ils la jetèrent en bas, son sang éclaboussa les murs et les chevaux, et Jéhu lui passa sur le corps. [34]Il entra, mangea et but, puis il ordonna : « Occupez-vous de cette maudite et donnez-lui la sépulture, car elle est fille de roi. » [35]On alla pour l'ensevelir, mais on ne trouva d'elle que le crâne, les pieds et les mains. [36]On revint en informer Jéhu, qui dit : « C'est la parole de Yahvé, qu'il a prononcée par le ministère de son serviteur Élie le Tishbite : dans le champ de Yizriel, les chiens dévoreront la chair de Jézabel; [37]le cadavre de Jézabel sera comme du fumier épandu dans la campagne, en sorte qu'on ne pourra pas dire : c'est Jézabel. »

◆ La prophétie de Joad est un véritable centon de passages de la Bible (acte III, scène VII).

Cieux, écoutez ma voix ; terre prête l'oreille. (Vers 1139.)
Deutéronome, XXXII, 1 : Cieux, prêtez l'oreille, et je parlerai; terre écoute ce que je vais dire!
Isaïe, I, 2 : Cieux, écoutez, terre, prête l'oreille.

Ne dis plus, Ô Jacob, que ton Seigneur sommeille. (Vers 1140.)
Psaumes, CXXI, 4 : Non, il ne dort ni ne sommeille, le gardien d'Israël.

Pécheurs disparaissez : le Seigneur se réveille. (Vers 1141.)
Psaumes LXXVII, 65 : Il s'éveilla comme un dormeur, le Seigneur...

Comment en un plomb vil l'or pur s'est-il changé? (Vers 1142.)
Jérémie, les Lamentations, IV, 1 : Quoi il s'est terni le vieil or, l'or si fin!

Quel est dans le lieu saint ce pontife égorgé? (Vers 1143.)
Chroniques, II, XXIV, 21 : ils se liguèrent alors contre lui (Zacharie) et, sur l'ordre du roi le lapidèrent sur le parvis du temple de Yahvé.

Pleure, Jérusalem, pleure, cité perfide
Des prophètes divins malheureuse homicide. (Vers 1144-1145.)
Saint-Matthieu, XXIII, 37 : Jérusalem, Jérusalem, toi qui tues les prophètes...

De son amour pour toi ton Dieu s'est dépouillé.
Ton encens à ses yeux est un encens souillé. (Vers 1146-1147.)
Isaïe, I, 13 : Cessez donc de m'apporter des offrandes inutiles : leur fumée m'est en horreur...

Dieu ne veut plus qu'on vienne à ses solennités. (Vers 1151.)
Isaïe, I, 13 : ...je ne supporte plus fête et solennité.

Qui changera mes yeux en deux sources de larmes
Pour pleurer ton malheur? (Vers 1155-1156.)
Jérémie, IX, 1 ou VIII, 23 :

Qui changera ma tête en fontaine
et mes yeux en source de larmes,
que je pleure jour et nuit
les tués de la fille de mon peuple!

Quelle Jérusalem nouvelle
Sort du fond du désert brillante de clartés. (Vers 1159-1160.)
Apocalypse, III, 12 : La nouvelle Jérusalem qui descend du ciel... et XXI, 2 : Et je vis la Cité sainte, Jérusalem nouvelle, qui descendait du ciel, de chez Dieu.

Cantique des Cantiques, IV, 6 :

Qu'est-ce là qui monte du désert
comme une colonne de fumée
vapeur de myrrhe et d'encens
et de tous les parfums exotiques?

Et porte sur le front une marque immortelle? (Vers 1161.)
Ézéchiel, IX, 6 : Mais quiconque portera la croix au front... (l'emblème d'un signe sur le front n'est pas rare dans les tableaux prophétiques).

D'où lui viennent de tous côtés.
Ces enfants qu'en son sein elle n'a point portés? (Vers 1164-1165.) Isaïe, XLIX, 21 :

Tu diras en ton cœur :
« Qui m'a enfanté tous ceux-là?
J'étais sans enfant et stérile,
Ceux-ci qui les a fait grandir? »

Lève Jérusalem, lève ta tête altière. (Vers 1166.)
Isaïe, XLIX, 18 :

Lève tes yeux à l'entour et vois :
tous se rassemblent et viennent à toi.

Les rois des nations, devant toi prosternés,
De tes pieds baisent la poussière. (Vers 1168-1169.)
Isaïe, XLIX, 23 :

Des rois seront tes pères adoptifs
et leurs princesses tes nourrices.
Face contre terre ils se prosterneront devant toi
et lècheront la poussière de tes pieds.

Les peuples à l'envi marchent à ta lumière. (Vers 1170.)
Apocalypse, XXI, 24 : Les nations marcheront à sa lumière...

Cieux, répandez votre rosée,
Et que la terre enfante son sauveur! (Vers 1173-1174.)
Isaïe, XLV, 8 :

Cieux répandez comme une rosée la victoire
et que les nuées la fasse pleuvoir!
Que la terre s'entr'ouvre
pour que mûrisse le salut!
Qu'elle fasse aussi germer la délivrance
que moi, Yahvé, je vais créer!

Racine a aussi puisé largement dans les Psaumes, en particulier pour alimenter les chants des chœurs.

Ces quelques références bibliques (que l'on pourrait multiplier) montrent, et dans la scène de la prophétie en particulier, à quel point Racine utilise la Bible et s'en inspire. Il faut cependant remarquer que la prophétie de Joad forme un passage spécialement riche en citations bibliques. Racine le dit lui-même dans sa préface : « Mais, j'ai eu la précaution de ne mettre dans sa bouche que des expressions tirées des prophètes mêmes. » Néanmoins, l'Écriture tout entière est mise à contribution. Or la Bible est une sorte de monument, on y trouve tous les genres, elle est d'une « infinie variété ». Les divers textes qui la composent sont d'époques très différentes. De la Genèse à l'Apocalypse sa « rédaction » (terme d'ailleurs impropre) s'étale sur plusieurs siècles.

À puiser de la sorte ici et là, Racine ne risquait-il pas de faire rejaillir dans sa pièce l'hétérogénéité de la Bible? En quoi est-ce un de ses mérites d'avoir su incorporer tous ces matériaux pour en faire un tout harmonieux?

4. L'ATMOSPHÈRE BIBLIQUE

Racine entendait donc rester fidèle à la Bible, à son récit et à ses expressions. Il le dit lui-même dans la préface d'*Esther :* « [...] sans altérer aucune des circonstances tant soit peu considérables de l'Écriture sainte, ce qui serait, à mon avis, une espèce de sacrilège ». « Cependant, remarque G. Mongrédien, on a été plus loin, non contents de cette fidélité au récit et à l'expression bibliques, certains critiques se sont demandé si Racine avait bien peint et fait revivre pour nous le royaume d'Israël, s'il avait bien senti et traduit la poésie biblique. Le premier, Sainte-Beuve, qui devait plus tard dans son *Port-Royal* écrire l'éloge le plus éclatant et le plus éloquent d'*Athalie*, reproche au poète son manque de couleur locale. » En effet, Sainte-Beuve avait fait ce reproche à Racine dans ses *Portraits littéraires*, critiquant en particulier la façon dont Racine présentait et représentait le temple. Plus tard, dans *Port-Royal*, Sainte-Beuve fera justice de ces critiques :

> On a fait (et je le sais trop bien), on a fait des objections au temple d'Athalie; on lui a opposé les mesures colossales de celui de Salomon, la colonne de droite nommée Jachin et celle de gauche nommée Booz, les deux chérubins de dix coudées de haut, en bois d'olivier revêtu d'or, tout ce cèdre du temple rehaussé de sculptures, de moulures, et la mer d'airain et les bœufs d'airain, ouvrage d'Hiram. Racine, il est vrai, a peu parlé de l'œuvre d'Hiram et des soubassements de cette mer d'airain; il n'a pas pris plaisir à épuiser le Liban comme d'autres à tailler dans l'Athos; son temple n'a que des « festons magnifiques », et encore on ne les voit pas; la scène se passe dans une sorte de vestibule : et cependant ce qui fait la suprême beauté et unité d'Athalie, c'est le temple, ce même temple juif de Salomon, mais déjà vu par l'œil d'un chrétien.

Ce que Racine n'a pas décrit, et ce qu'aurait d'abord décrit un romantique plus pittoresque que chrétien, est ce qui devait périr dans l'ancien temple, ce qui n'était que figure et matière, ce que ce temple avait de commun sans doute, au moins à l'œil, avec les autres qui n'étaient pas le vrai et l'unique. Si notre grand lyrique moderne, V. Hugo, avait eu à décrire le temple de Jérusalem, il eût pu y mettre bon nombre de ces vers de haute et vaste architecture qu'il a prodigués dans le *Feu du ciel* à son panorama des villes maudites.

Mais ce n'était qu'au-dehors que ces descriptions eussent convenu; au fond du temple il n'y avait rien, il y avait tout. Lorsque Pompée, usant du droit de conquête, entra dans le saint des saints, il observa avec étonnement, dit Tacite, qu'il n'y avait aucune image et que le sanctuaire était vide...

Si Racine, dans le temple d'*Athalie*, a moins rendu le vestibule, cela a donc été pour mieux rendre le sanctuaire.

En fonction de l'esthétique classique, on étudiera comment est rendue l'atmosphère biblique. Le rôle du langage, dans une forme dramatique qui est plus récit qu'action. L'intérêt accordé par les Classiques à la reconstitution historique, au pittoresque. Le choix de Racine entre ce qui est spécifiquement religieux et ce qui reste surtout oriental.

On recherchera dans la pièce de Racine ce qui contribue à décrire cette société juive ancienne, et éventuellement les éléments d'orientalisme, de couleur locale. Peut-on, grâce à la lecture d'*Athalie*, se faire une idée des particularités de cette société?

Les costumes et le décor pourraient-ils créer cette « couleur locale »? Celle-ci est-elle nécessaire au théâtre pour créer une atmosphère vraie?

Sainte-Beuve a-t-il raison quand il semble dire que plus d'orientalisme aurait nui à l'intensité religieuse de la pièce?

5. DIEU DANS *ATHALIE*

Une chose contribue particulièrement à faire d'*Athalie* une pièce biblique : c'est Dieu, la présence de Dieu, tout le temps et partout. Dans *l'Évolution de la tragédie religieuse en France*, K. Loukovitch écrit :

Plus encore que dans *Esther*, l'acteur principal, essentiel, et sans cesse agissant du drame, est-il Dieu, dont Joad n'est que l'interprète et l'instrument. Et ce Dieu est bien cette fois le Dieu des Juifs, le Dieu des Armées, le Dieu de la Justice et de la Vengeance. Joad n'a pas d'autre nom dans le cœur et sur les lèvres :

Celui qui met un frein à la fureur des flots
Sait aussi des méchants arrêter les complots. (Vers 61-62.)
Je crains Dieu, cher Abner, et n'ai point d'autre crainte. (Vers 64.)
Voici comme ce Dieu vous répond par ma bouche. (Vers 84.)
Quand Dieu par plus d'effet montre-t-il son pouvoir? (Vers 105.)
Un Dieu tel aujourd'hui qu'il fut dans tous les temps. (Vers 126.)

Comme Joad, sa femme Josabeth, son fils Zacharie, Joas, le chœur n'ont à la bouche que le nom de Dieu. Sa pensée hante l'esprit d'Athalie, qu'un instinct pousse vers le temple des Juifs pour « apaiser leur Dieu », et même celui de l'apostat Mathan dont l'impiété :

Voudrait anéantir le Dieu qu'il a quitté. (Vers 42.)

On cherchera, dans la même perspective, d'autres manifestations de l'action de Dieu : sur Joad, sur ceux qui l'entourent. On analysera de quelle manière Dieu est encore à l'origine de la conduite d'Athalie elle-même (voir vers 293-294). Son rôle sur les personnages secondaires (Mathan, Abner). On utilisera les indications suivantes pour se guider.

L'abbé Delfour note :

Un lecteur inattentif attribuerait à Josabeth le salut de Joas; mais non, c'est Dieu qui sut détourner l'attention du coup mortel. Joas est si rempli de l'idée de Dieu qu'il impatiente M. Sarcey; le célèbre critique appelle le charmant Éliacin « un perroquet de sacristie ». Abner produit le même effet sur les nerfs d'Athalie : « Laisse-là ton Dieu, traître. » [...] Dieu intervient donc, à chaque instant, dans *Athalie*, aussi bien pour les détails que pour les événements principaux.

Il se demande comment apparaît le Dieu de Racine (le Dieu que Racine a mis dans *Athalie*) :

Les Israélites étaient un peuple à tête dure, ils avaient des instincts assez grossiers et un irrésistible penchant à l'idolâtrie, comme le prouve leur histoire. Dieu ne pouvait se révéler à eux que sous un aspect terrible. Il cherche à inspirer la crainte autour de lui, il se fait appeler le Tout-Puissant, le Dieu vainqueur des autres dieux, et de tous les ennemis d'Israël. Racine a fort bien vu, par ce côté d'un grandiose effrayant, le Dieu du déluge et du Sinaï. Je ne dis pas le cruel Dieu des Juifs — ces mots, Racine les met sur les lèvres d'une reine impie [...].

L'action de Dieu. Le fait que Dieu soit un être actif dans cette tragédie nuit-il à l'intérêt dramatique de la pièce? Ne pourrait-on pas penser que, puisque Dieu est dans un des deux camps, on sait dès le début où sera la victoire, on prévoit tout de suite l'issue, et qu'ainsi toute cette lutte entre Athalie et Joad perd son intérêt?

La Providence. Ce Dieu qui dirige et mène tout peut-il être comparé à ce qu'on appelle la Providence, qui est une notion chrétienne? On se demandera dans quelle mesure Racine a voulu montrer et défendre l'action de la Providence. Peut-on voir dans *Athalie* une intention apologétique?

6. *ATHALIE*, TRAGÉDIE BIBLIQUE FRANÇAISE

En voulant faire une tragédie biblique française, Racine se heurtait à une double difficulté : d'une part il lui était difficile avec son goût d'homme du XVIIe siècle de rester vraiment fidèle au texte pour ne changer ni le fond ni le sens, ce qu'il aurait considéré, il l'avoue lui-même, comme un « sacrilège ».

On a pu voir que Racine savait rester fidèle aux textes. Mais comment a-t-il surmonté la première difficulté? Racine a-t-il compris la poésie biblique? A-t-il su en rendre les effets en français? Peut-on dire qu'*Athalie* est d'un style « biblique »? On étudiera ce problème en utilisant les indications données ci-dessous.

Traitant de ce problème, l'abbé Delfour commence par rechercher ce qui, dans *Athalie*, n'est pas biblique.

> Il est difficile de faire rigoureusement le départ de ce qui est biblique et de ce qui ne l'est pas [dans *Esther* et dans *Athalie*]. Mais en comptant patiemment on peut arriver à donner les chiffres approximatifs. Sur 1 285 vers d'*Esther*, 450 environ n'ont rien de commun avec l'Écriture sainte, 400 renferment quelque chose de biblique et 450 traduisent littéralement ou presque littéralement le texte sacré. Dans *Athalie*, quoique la couleur biblique soit plus intense, les proportions restent à peu près les mêmes. On comprend qu'un aussi grand nombre de vers profanes donne à la poésie de Racine un caractère bien différent du caractère général de la poésie hébraïque.

Puis il cherche les beautés de la poésie hébraïque que Racine ne s'est pas appropriées; et il cite : le caractère primitif (dans les premiers livres essentiellement), la naïveté des sentiments et la familiarité qui viennent de ce caractère primitif, et surtout le réalisme. « Le réalisme est une des plus grandes richesses de la Bible. » Racine avait les goûts de son siècle, et ne pouvait bien sûr faire passer dans ses œuvres tout le réalisme de la Bible.

Racine ne savait pas l'hébreu. Il utilisait particulièrement la Vulgate. Cela est-il regrettable? J. Lichtenstein répond :

> Une grande partie de la pensée du peuple dont il s'était proposé de chanter les joies et de peindre les angoisses lui a forcément échappé, la partie la plus intime — celle qu'on ne peut pas traduire, même en latin [...]. On n'osera donc plus douter du profit que le poète aurait tiré d'une connaissance profonde de la langue hébraïque [...]. Racine a atténué, arrondi et omis parce qu'il ignorait l'âme de la langue hébraïque.

Racine ne savait pas l'hébreu, cela éclaire « d'un jour nouveau » le fait que de nombreux passages d'*Athalie* manquent de fidélité aux textes originaux (hébreux). Racine a imité le style biblique.

> Jusqu'à quel point Racine a-t-il été fidèle au style biblique? Eh bien! toutes les nuances de l'imitation littéraire se trouvent dans son style, depuis la traduction littérale, l'adaptation fidèle et l'imitation libre jusqu'à la réminiscence inconsciente.

En utilisant les textes rapportés plus haut, on cherchera à vérifier cette affirmation. On montrera comment Racine utilise un vocabulaire biblique, des expressions bibliques, et même des tournures spécifiquement bibliques.

[...] pénétré de l'esprit de la poésie hébraïque, il arrive à introduire dans ses pièces non seulement des paroles tirées de l'Écriture, mais encore une figure de rhétorique inconnue des lettres occidentales : le parallélisme des membres.

Les exemples suivants expliqueront mieux que ne pourraient le faire des définitions le caractère du procédé dont nous parlons.

Chantez à l'Éternel un cantique nouveau
Chantez à l'Éternel toute la terre. (Psaume XCVI, 1.)

Le cœur du roi est comme un ruisseau dans la main de l'Éternel
Il le dirige partout où il veut (Proverbe XX, 1) [J. Lichtenstein].

D'autre part, Racine a imité les idées bibliques, les images bibliques : nombreuses références à la nature (les animaux, les plantes, et toute la nature inanimée). Racine adopte la conception hébraïque de la nature.

Racine — il n'est pas inutile de le répéter — avait besoin que la Bible lui rappelât que Jérusalem et la Palestine existaient, non seulement dans les livres et dans la mémoire des fidèles, mais dans la réalité, et que ces lieux débordaient pour ainsi dire de vie; qu'il y avait là des journées splendides et des nuits incomparables, qu'un fleuve aux flots argentés traversait le pays, que ses champs et ses forêts, ses vallées et ses montagnes étaient peuplés d'animaux, domestiques et sauvages, nobles et bas. En fait de couleur locale, il s'est contenté de ce qu'une lecture attentive des Psaumes lui a fourni. Mais enfin, il a utilisé ses sources, et sa sensibilité a bien deviné des choses que d'autres n'ont découvertes que plus tard.

Lichtenstein conclut son étude ainsi :

L'auteur [Racine] a admirablement rendu le fond et la forme, la lettre et l'esprit de la muse hébraïque. S'il en est éloigné parfois, c'est pour ainsi dire malgré lui : la convention et le milieu l'y avaient poussé.

On peut critiquer certains détails; l'ensemble de l'édifice est d'une grandeur majestueuse. L'impression finale que produit la poésie biblique de Racine est d'une beauté sereine, sacrée, pourrait-on ajouter.

Et l'abbé Delfour :

Athalie est à la fois la plus haute expression de la religion d'Israël, considérée dans son union avec la religion chrétienne, et la synthèse la moins incomplète des beautés de la poésie hébraïque.

JUGEMENTS SUR « ATHALIE »

XVIIe SIÈCLE

*En novembre 1690, Racine lut chez le marquis de Chandenier des scènes d'*Athalie. *Un auditeur enthousiaste, Duguet, écrit le 15 du même mois :*

M. Racine a bien voulu réciter quelques scènes de son *Athalie;* et dans le vrai, rien n'est plus grand ni plus parfait. Des personnes de bon goût me l'avaient fort vantée, mais on ne peut mettre de la proportion entre le mérite de cette pièce et les louanges; le courage de l'auteur est encore plus digne d'admiration que sa lumière, sa délicatesse et son inimitable talent pour les vers. L'Ecriture y brille partout, et d'une manière à se faire respecter par ceux qui ne respectent rien. C'est partout la Vérité qui touche et qui plaît; c'est elle qui attendrit et qui arrache les larmes de ceux même qui s'appliquent à les retenir. On est encore plus instruit que remué, mais on est remué jusqu'à ne pouvoir dissimuler les sentiments de son cœur.

Un autre grand admirateur de cette tragédie, au XVIIe siècle, est Antoine Arnauld, le champion du jansénisme :

Je l'ai reçue tard [la tragédie de Racine] et l'ai lue aussitôt deux ou trois fois avec grande satisfaction [...] Si j'avais plus de loisirs, je vous marquerais plus au long ce que j'ai trouvé dans cette pièce qui me la fait admirer. Le sujet y est traité avec un art merveilleux, les caractères bien soutenus, les vers nobles et naturels. Ce qu'on y fait dire aux gens de bien inspire du respect pour la religion et pour la vertu [...] Mais pour moi, je vous dirai franchement que les charmes de la cadette n'ont pu m'empêcher de donner la préférence à l'aînée [*Esther*]. J'en ai beaucoup de raisons dont la principale est que j'y trouve plus de choses très édifiantes et très capables d'inspirer la pitié.

Antoine Arnauld,
Lettre à M. Willard du 10 avril 1691.

Le même Willard reçut du P. Quesnel une lettre tout aussi élogieuse envers la pièce de Racine : les amis jansénistes du poète étaient tout à fait satisfaits :

Nous relisons de temps en temps *Athalie* et nous y trouvons toujours de nouvelles beautés. Les chants en sont beaux; mais il y a des endroits qui demandent les accords des parties de la symphonie. Il y a des endroits qui sont des dénonciations en vers et en musique, et publiées au son de la flûte. Les plus belles maximes de l'Évangile y sont exprimées d'une manière touchante, et il y a des portraits où l'on n'a pas besoin de dire à qui ils ressemblent. Notre ami [Arnauld] croit que c'est la pièce la plus régulière et qu'*Esther* et *Athalie* sont les deux plus belles qu'on ait jamais faites en ce genre.

Lettre du P. Quesnel à M. Willard (1691).

XVIIIe SIÈCLE

Au XVIIIe siècle, Athalie *fut sans doute la tragédie classique la plus discutée. Des événements politiques d'abord contribuèrent à la faire connaître : la conservation de Joas faisait penser sous la Régence à celle du jeune Louis XV. Beaucoup plus tard, les tirades contre les tyrans et leurs flatteurs déchaînaient l'enthousiasme de l'époque révolutionnaire. Entre-temps, les gens de goût jugeaient aussi la pièce : l'Académie, vers 1730, rédigea ses* Sentiments sur « Athalie », *qui furent publiés en 1807 seulement. D'ordre presque exclusivement grammatical, ils n'ont fourni que quelques notes à la présente édition. Quant aux philosophes, ils se partageaient sur cette pièce. Le goût tout classique de Voltaire lui a d'abord, dans la dédicace de* Mérope *(1744), fait porter* Athalie *aux nues :*

La France se glorifie d'*Athalie;* c'est le chef-d'œuvre de notre théâtre; c'est celui de la poésie.

Et il ajoutera plus tard :

Athalie est peut-être le chef-d'œuvre de l'esprit humain. Trouver le secret de faire en France une tragédie intéressante sans amour, oser faire parler un enfant sur le théâtre et lui prêter des reparties dont la candeur et la simplicité nous tirent des larmes, n'avoir presque pour acteurs principaux qu'une vieille femme et un prêtre, remuer le cœur pendant cinq actes avec ces faibles moyens, se soutenir surtout (et c'est là le grand art) par une action toujours pure, toujours naturelle et auguste, souvent sublime, c'est là ce qui n'a été donné qu'à Racine et qu'on ne reverra probablement jamais.

Pourtant, dans ce même ouvrage, son esprit de tolérance le conduit à d'importantes réserves sur le personnage de Joad :

Je ne puis aimer le pontife Joad. Comment! Conspirer contre sa reine, la trahir par le plus lâche des mensonges, en lui disant qu'il y a de l'or dans sa sacristie et qu'il lui donnera cet or! la faire ensuite égorger par des prêtres à la Porte aux chevaux! [...] Athalie est une grand'mère de près de cent ans, le jeune Joas est son petit-fils, son unique héritier; elle n'a plus de parents, son intérêt est de l'élever et de lui laisser la couronne; elle déclare elle-même qu'elle n'a pas d'autre intention. C'est une absurdité insupportable de supposer qu'elle veuille élever Joas chez elle pour s'en défaire; c'est pourtant sur cette absurdité que le fanatique Joad assassine la reine.

Et il conclut :

Le grand mérite de cet ouvrage consiste dans l'extrême simplicité et dans l'élégance noble du style.

Voltaire,
Dictionnaire historique et critique
à l'occasion de la tragédie des « Guèbres » (1769).

En somme, pour lui, comme il l'écrivait à son ami Cideville le 20 mai 1761 :

Athalie, qui est le chef-d'œuvre de la belle poésie, n'en est pas moins le chef-d'œuvre du fanatisme. Il me semble que Grégoire VII et Innocent IV ressemblent à Joad, comme Ravaillac ressemble à Damiens.

D'Alembert va plus loin encore : il ne loue même plus la « poésie » de la pièce, mais seulement sa « versification » et se livre pour tout le reste à une critique méthodique qu'explique sa naturelle aversion pour la tragédie classique :

Je suis depuis longtemps entièrement de votre avis sur *Athalie*. J'ai toujours regardé cette pièce comme un chef-d'œuvre de versification et comme une très belle tragédie de collège. Je n'y trouve ni action ni intérêt; on ne s'y soucie de personne, ni d'Athalie, qui est une méchante carogne, ni de Joad, qui est un prêtre insolent, séditieux et fanatique, ni de Joas même, que Racine a eu la maladresse de faire entrevoir en deux endroits comme un méchant garnement futur. Je suis persuadé que les idées de religion dont nous sommes imbus dès l'enfance contribuent, sans que nous nous en apercevions, au peu d'intérêt qui soutient cette pièce et que si on changeait les noms et que Joad fût un prêtre de Jupiter ou d'Isis, et Athalie une reine de Perse ou d'Égypte, cette pièce serait bien froide au théâtre. D'ailleurs, à quoi sert toute cette prophétie de Joad, qu'à faire languir l'action, qui n'est pas déjà trop animée? Je crois en général (et je vais peut-être dire un blasphème) que c'est plutôt l'art de la versification que celui du théâtre qu'il faut apprendre chez Racine.

D'Alembert,
Lettre à Voltaire du 11 décembre 1769.

XIXe SIÈCLE

Au XIXe siècle, en revanche, Athalie *est fort louée. C'est sa valeur religieuse surtout que souligne Chateaubriand :*

Racine dans *Athalie* ne peut être comparé à personne : c'est l'œuvre le plus parfait du génie inspiré par la religion.

Chateaubriand,
Génie du christianisme (1802).

Même le sévère A. W. Schlegel ne trouve rien à reprendre dans cette pièce :

Avant de dire un dernier adieu à la poésie et au monde, Racine déploya toutes ses forces dans *Athalie*. C'est non seulement son ouvrage le plus parfait, mais c'est encore à mon avis parmi les tragédies françaises celle qui, libre de toutes manières, s'approche le plus du grand style de la tragédie grecque... L'intérêt de la curiosité, l'émotion et la terreur se succèdent tour à tour et prennent une force toujours croissante.

A. W. Schlegel,
Cours de littérature dramatique, tome II (1811).

Les romantiques ne tarissent pas d'éloges sur Athalie *:*

Il y a surtout du génie épique dans cette prodigieuse *Athalie*, si haute et si simplement sublime que le siècle royal ne l'a pu comprendre.

Victor Hugo,
Préface de « Cromwell » (1827).

Delacroix est plus nuancé, mais tout aussi favorable :

Vu *Athalie* [...] Rachel ne m'a pas fait plaisir dans toutes les parties. Mais comme j'ai admiré ce grand prêtre! Quelle création! Comme elle semblerait outrée dans un temps comme le nôtre! Et comme elle était à sa place avec cette société ordonnée et convaincue qui a vu Racine et qui l'a fait ce qu'il est! Ce farouche enthousiasme, ce fanatisme verbeux n'est guère de notre temps : on égorge et l'on renverse à froid sans conviction. Mathan, dans sa scène avec son confident, dit trop naïvement : « Je suis un coquin, je suis un être abominable. » Racine sort de la vérité, mais il est sublime quand Mathan, sortant tout troublé pour se soustraire aux imprécations du grand prêtre, ne sait plus où il va, et se dirige, sans savoir ce qu'il fait, du côté de ce sanctuaire qu'il a profané et dont l'existence l'importune.

Delacroix,
Journal à la date du 2 avril 1849.

Quant à Lamartine, si son éloge confine au délire, c'est plus la langue et la poésie biblique qui le touchent :

Athalie, c'est Racine tout entier. Il revivra éternellement dans cette œuvre qui place son auteur non seulement au rang des poètes, mais au rang des prophètes bibliques [...] La langue n'en est pas moins transformée que l'idée; de molle et de langoureuse qu'elle était dans *Andromaque*, dans *Bajazet* ou dans *Phèdre*, elle devient nerveuse comme le dogme, majestueuse comme la prophétie, laconique comme la loi, simple comme l'enfance, tendre comme la componction, embaumée comme l'encens des tabernacles; ce ne sont plus des vers qu'on entend, c'est la musique des anges; ce n'est plus de la poésie qu'on respire, c'est de la sainteté.

Lamartine,
Cours familier de littérature (1856).

Sainte-Beuve, enfin, met très clairement en lumière l'importance du personnage de Dieu dans la pièce et y voit la principale raison de la grandeur esthétique de la pièce :

Le grand personnage, ou plutôt l'unique d'*Athalie*, depuis le premier vers jusqu'au dernier, c'est Dieu. Dieu est là, au-dessus du grand prêtre et de l'enfant, et, à chaque point de cette simple et forte histoire à laquelle sa volonté sert de loi, il y est invisible, immuable, partout senti [...] Quand le christianisme (par impossible) passerait, *Athalie* resterait belle de la même beauté, parce qu'elle le porte en soi, parce qu'elle suppose tout son ordre religieux et le crée nécessairement. *Athalie* est belle comme l'*Œdipe roi*, avec le vrai dieu de plus.

Sainte-Beuve,
Port-Royal, tome VI (1860).

Pourtant, le même Sainte-Beuve, romantique soucieux de couleur locale, avait autrefois fait, de ce point de vue, quelques réserves :

Mais d'abord, je cherche vainement dans Racine ce temple merveilleux bâti par Salomon, tout en marbre, en cèdre, revêtu de lames d'or, reluisant de chérubins et de palmes [...]. La scène se passe sous un péristyle grec un peu nu et je me sens déjà moins disposé à admettre le sacrifice de sang et l'immolation par le couteau sacré que si le poète m'avait transporté dans ce temple colossal où Salomon le premier égorgea pour hosties pacifiques vingt-deux mille bœufs et cent vingt mille brebis.

Sainte-Beuve,
Portraits littéraires (1844).

Dans cette voie, Renan ira presque jusqu'à refuser à Athalie *la qualité d'œuvre biblique :*

Ce serait sans doute un blasphème de dire que Racine ne comprit pas la poésie de la Bible; mais, j'oserai le dire, il la comprit à sa manière et en la teignant de ses couleurs favorites... Étranger par ses études et son génie au tour oriental, à ses hardiesses, à ses images, à sa manière abrupte et concise, il n'eut de sens que pour ce qui lui rappelait Sophocle et Virgile... *Athalie* n'est donc pas une œuvre biblique. Ce ne sont pas les couleurs orientales, dans leur simple blancheur, mais réfractées et dispersées par un génie nourri aux sources les plus pures de la Grèce et produisant ainsi une œuvre qui, sans être d'aucune nation, n'en est pas moins belle et originale. Le fond en est biblique, la forme toute grecque.

Ernest Renan,
Article posthume dans la *Revue de Paris* (1922).

XXe SIÈCLE

Moins soucieux de cet aspect formel, Jules Lemaitre a une fois de plus énergiquement rappelé la signification chrétienne de l'œuvre :

Athalie est une tragédie chrétienne et, considérée ainsi, dans un esprit de foi ou tout au moins de religieuse sympathie, elle grandit encore. Car ce qui s'agite dans ce drame, ce sont les destinées mêmes du christianisme. Songez un peu que Joas est l'aïeul du Christ et que la restauration de Joas est, en quelque sorte, une condition matérielle du salut du monde.

Jules Lemaitre,
Jean Racine (1908).

Gustave Lanson semble avoir mis les choses au point sur la vérité biblique et poétique de la pièce :

Athalie est une vision d'une intensité étonnante : dans ce cadre grandiose du temple, devant ces chœurs, dont la voix, un peu maigre, rappelle à notre mémoire les fières beautés des psaumes hébraïques, Joad, si bien saisi dans son âpreté juive, dans sa puissance de haine et de malédiction, dans l'absorption enfin du sentiment national par la passion religieuse, Joad est une figure biblique. Mais songez surtout à son accès de fureur prophétique, à ce qu'il a fallu de puissance poétique, de hardiesse artistique pour concevoir et pour offrir à ce monde de raisonneurs et d'intellectuels, un prophète, un vrai prophète, inspiré, délirant, dessinant l'avenir en images actuellement extravagantes. Et, pour doubler l'audace

Phot. Larousse.

« ATHALIE » AU DÉBUT DU XXe SIÈCLE

Sarah Bernhardt dans le rôle d'Athalie. À côté d'elle, Marguerite Moreno dans le rôle d'Agar.

Bibliothèque de l'Arsenal. Fonds Rondel.

de la peinture, imaginez que ce prophète découvre les crimes futurs de Joas, et risque de rendre odieux le personnage sympathique : faute insigne pour un dramaturge adroit, trait admirable de vérité profonde et de large poésie, qui jette soudainement une vive lumière sur la sinistre histoire de Juda, et sur le triste, le pauvre fond de l'humanité.

Gustave Lanson,
Histoire de la littérature française (1923).

Le problème de la fatalité a beaucoup retenu l'attention de nos contemporains. Giraudoux est surtout sensible au caractère implacable que le destin revêt dans la dernière pièce de Racine :

Racine a enfin trouvé une fatalité plus impitoyable que la fatalité antique dont l'incroyance grecque et l'horizon poétique tempèrent la virulence. Il a trouvé son peuple. Il peut, avec les Juifs, troquer son destin grec contre un Jéhovah qui, en plus de la cruauté native de Zeus, a sur les hommes des desseins précis. Il trouvait des êtres qui, outre leur fatalité particulière, portaient encore une fatalité générale.

Jean Giraudoux,
Littérature (1941).

Thierry Maulnier, allant plus loin encore, en arrive à évoquer une véritable dépossession d'eux-mêmes subie par les héros dans la tragédie sacrée :

Athalie est la tragédie d'une volonté et d'une mission : le dieu et l'homme ont cessé d'y avoir leur point d'appui sur la terre. L'homme ne compte plus, mais seulement l'homme au service de Dieu, c'est-à-dire le service de Dieu. La tragédie sacrée ne diffère point de la tragédie profane en ce que l'homme y est mené par des forces qui le dépassent, mais en ce que sa fatalité même et sa souffrance ont cessé d'être à lui... L'extraordinaire grandeur d'*Athalie* a été payée cher. Le plus humain des théâtres s'achève en dépossédant l'homme de son drame intérieur.

Thierry Maulnier,
Racine (1935).

Ce que l'univers de Racine a sur ce point de radicalement différent dans Athalie *par rapport à ses tragédies antérieures, Raymond Picard l'énonce très clairement :*

Dans *Andromaque* ou *Phèdre*, la mythologie apparaît souvent comme une sorte de psychologie métaphorique. Le spectateur n'est nullement obligé de croire à l'existence personnelle et indépendante de Vénus ou de la Fatalité; il peut voir dans ces puissances comme une apothéose de la passion des personnages et un symbole de ses faiblesses. Les dieux ne sont là, bien souvent, que pour rendre compte de l'esclavage du héros, quand il a décidément abdiqué sa liberté. On voit assez qu'il n'en est pas de même dans *Athalie* : la mythologie y prend la forme de l'Histoire sainte, et la fatalité s'y nomme Divine Providence.

Raymond Picard,
Introduction à *Athalie* (1951).

*Antoine Adam rappelle ce qu'*Athalie *ne peut pas manquer de devoir à l'actualité, c'est-à-dire, avant tout, aux persécutions contre Port-Royal :*

L'histoire d'Athalie offrait pour lui [Racine] cet intérêt de mettre dans une belle lumière les luttes et la victoire finale des serviteurs de Dieu, l'intervention toute-puissante du ciel pour assurer la défaite des méchants. Il est vrai que cette grande idée offrait, sous ses yeux, une application particulière, mais ce n'était pas la cause d'Angleterre. C'étaient les malheurs de Port-Royal, le monastère à demi abandonné, ses amis découragés et le triomphe momentané des Jésuites. C'était aussi la résistance intrépide du grand Arnauld, et l'idée que le vieux champion était peint dans le personnage de Joad devait naturellement se présenter à l'esprit. S'il est impossible de mettre un nom sur Abner et Mathan, ils représentent du moins deux types d'hommes que la persécution contre Port-Royal avait fait trop souvent apparaître.

Le même auteur est aussi très sensible à la force du personnage d'Athalie, au relief surprenant qu'il prend dans la pièce :

Malgré lui, il [Racine] a fait d'Athalie la création la plus vraie, la plus émouvante, la plus humaine de sa tragédie. C'est elle qui prononce les mots qui nous atteignent. Nous admirons son courage, son œuvre de reine, le succès d'une politique qui tend à la prospérité de son État et au bonheur de son peuple. Elle a tué. Mais elle l'a fait parce qu'elle a voulu venger sa famille massacrée. Elle n'est pas étrangère à la pitié et s'attendrit à la vue d'Éliacin. Elle n'envisage de mesures sévères que dans la mesure où elle les croit nécessaires à la paix et à l'ordre de l'État. Il est arrivé à Racine que la grande figure de sa tragédie, ce n'est pas Joad, c'est cette vieille femme que grandit la conscience de ses devoirs, exactement de la même façon que, dans l'*Otage* de Claudel, ce n'est pas Coufontaine qui domine l'œuvre, mais Turelure.

Antoine Adam,
*Histoire de la littérature française au XVII*e *siècle,*
tome V (1954).

On ne peut cependant s'attacher beaucoup à la psychologie des personnages dans cette pièce. Victor Hugo parlait déjà de sa beauté « épique »; Raymond Picard, dans le passage déjà cité, développe cette idée :

La présence de Dieu et de sa parole exigeaient une solennité écrasante. La dignité tragique devait avoir ici toute sa hauteur, et rejoindre l'épique. *Athalie* est la tragédie de la grandeur. La majesté de Joad a comme un reflet de celle du Dieu qui l'inspire. La vieille reine elle-même est imposante. Tous les personnages et les plus méprisables participent du Mystère et de son caractère auguste. L'ampleur de l'action et l'immensité des intérêts mis en jeu font que la pompe même ne semble pas factice. Rien de ce qui est large, de ce qui a volume et force, n'est déplacé dans une telle tragédie. Mais ce besoin de grandiose a des effets singuliers sur la création racinienne. Comme les personnages ne sont que les marionnettes de Dieu, que l'intérêt se porte moins vers eux que vers la main qui les agite, leur psychologie est dominée par quelques traits fort simples, ce qui ne donne pas une grande profondeur à leur caractère, mais les doue d'une sorte de beauté sculpturale, en harmonie avec le dessein esthétique de la pièce.

*Et le même critique met bien en lumière pour finir l'étonnante nouveauté d'*Athalie *:*

Cette tragédie immense, si étrangère au génie de la tragédie intérieure et psychologique qui semblait caractériser Racine, dont le déploiement est si opposé au recueillement de *Bérénice*, dont le grandiose qui déborde le théâtre est si théâtral pourtant, marque, à tous sens, la fin de Racine.

Raymond Picard,
Introduction à « Athalie » (1951).

SUJETS DE DEVOIRS ET D'EXPOSÉS

NARRATIONS

● Après le succès d'*Esther*, Racine, dans une lettre à Boileau, lui annonce son intention d'écrire *Athalie* et lui expose les grandes lignes de son projet.

● Au sortir d'une représentation d'*Athalie*, vivement impressionné par le personnage de la vieille reine, vous écrivez à un ami pour prendre sa défense contre le fanatisme et la perfidie du grand prêtre.

● Donnez par écrit des conseils détaillés à un jeune enfant de votre connaissance qui doit jouer le rôle de Joas dans une représentation d'*Athalie*.

● Pour une raison fortuite (accident ou incendie), des comédiens sont obligés de jouer *Athalie* sans décors ni costumes autres qu'improvisés. Vous avez assisté à la représentation et écrivez vos impressions à un ami.

● On pourrait tirer de la pièce de Racine un excellent scénario de film à grand spectacle. Comment vous y prendriez-vous pour rester fidèle à l'esprit, sinon à la lettre, de la poésie racinienne?

DISSERTATIONS ET EXPOSÉS

● La nouveauté d'*Athalie* dans l'histoire de la tragédie française.

● Expliquez cette formule de M. Picard : « *Athalie* est la tragédie de la grandeur. »

● Que pensez-vous de cette affirmation de Jules Lemaitre : « *Athalie* rejoint les plus grandes œuvres et les plus religieuses du théâtre grec »?

● L'inspiration biblique dans *Athalie*.

● Lorsqu'il écrit *Athalie*, Racine a derrière lui tout un passé de poète tragique. Des figures antérieures viennent se profiler dans ses créations : Andromaque et Clytemnestre dans Josabet, Astyanax et Iphigénie dans Joas, Agamemnon peut-être dans Joad, Agrippine et Phèdre dans Athalie. Vous essaierez de définir l'importance et le rôle des souvenirs que vous aurez ainsi reconnus.

● Racine et l'étude psychologique dans *Athalie*.

● Expliquez ce mot de Voltaire : « La seule pièce où M. Racine ait mis du spectacle, c'est son chef-d'œuvre d'*Athalie.* »

● « Pour qui sait voir, écrit un critique moderne, l'histoire d'*Athalie* est un miracle permanent. » Expliquez cette affirmation et, éventuellement, fixez-en les limites.

● Commentez cette opinion de Jules Lemaitre sur *Athalie :* « Ce drame religieux, ce drame tout chrétien est en même temps le plus humainement vrai et le plus hardi des drames politiques. »

● « *Athalie*, écrivait Geoffroy dans son *Cours de littérature dramatique,* est la meilleure poétique du théâtre et l'on n'a plus besoin de celle d'Aristote. Si les règles de l'art dramatique pouvaient se perdre, on les retrouverait dans cette tragédie. » Expliquez et justifiez cette affirmation, dans la mesure du possible.

● Appliquez à *Athalie* cette affirmation de Hugo dans la *Préface de « Cromwell » :* « Racine, divin poète, est élégiaque, lyrique, épique. »

● Que pensez-vous de l'opinion suivante : « Il y a plus de merveilleux dans *Athalie* que dans les pièces que Racine a tirées de la fable grecque. Et ce merveilleux est d'autant plus profond que Racine le pénétrait de sa foi. » (Note inédite d'Anatole France citée par M. des Hons.)

● Êtes-vous de l'avis de Faguet lorsqu'il écrit : « Le jour où Racine a rencontré une grande conception poétique du théâtre français, le style de sa conception lui a fait en partie défaut »?

● Dans quelle mesure, par les allusions et les leçons qu'elle contient, *Athalie* peut-elle être considérée comme une tragédie politique?

● Que pensez-vous de cette opinion de Giraudoux sur *Esther* et *Athalie :* « Jamais Racine n'a plus approché la vérité antique — biblique dans l'espèce — que dans la description de cette grandeur et de ce réalisme des Juifs dont peut-être il n'a pas connu un exemplaire? »

TABLE DES MATIÈRES

Mame Imprimeurs - 37000 Tours.
Dépôt légal Septembre 1970. — N° 12324. — N° de série Éditeur 13385.
IMPRIMÉ EN FRANCE *(Printed in France)*. — 870 139 E Mai 1986.

un dictionnaire de la langue française pour chaque niveau :

NOUVEAU DICTIONNAIRE DU FRANÇAIS CONTEMPORAIN ILLUSTRÉ

sous la direction de Jean Dubois

• 33 000 mots : enrichi et actualisé, tout le vocabulaire qui entre dans l'usage écrit et parlé de la langue courante et que les élèves doivent savoir utiliser à l'issue de la scolarité obligatoire.
• 1 062 illustrations : un apport descriptif complémentaire des définitions et qui permet l'introduction de termes plus spécialisés n'appartenant pas au vocabulaire courant ou ne nécessitant pas d'explication autre que celle de l'image.
• Un dictionnaire de phrases autant qu'un dictionnaire de mots, comme dans l'édition précédente, selon les mêmes principes de description du lexique et du fonctionnement de la langue.
• Le dictionnaire de la classe de français (90 tableaux de grammaire, 89 tableaux de conjugaison).

Un volume cartonné (14 × 19 cm), 1 296 pages.

LAROUSSE DE LA LANGUE FRANÇAISE lexis

sous la direction de Jean Dubois

Avec plus de 76 000 mots des vocabulaires courant, classique et littéraire, technique ou scientifique , c'est le plus riche des dictionnaires de la langue en un seul volume.
Par la diversité de ses informations sur les mots, par la construction raisonnée de ses articles et par son dictionnaire grammatical, c'est un instrument de pédagogie active : il s'adresse aussi à tous ceux qui veulent comprendre le fonctionnement de la langue et acquérir la maîtrise des moyens d'expression.

Nouvelle édition illustrée : un volume relié (15,5 × 23 cm), 2 126 pages dont 90 planches d'illustrations par thèmes.

GRAND LAROUSSE DE LA LANGUE FRANÇAISE

7 volumes sous la direction de L. Guilbert, R. Lagane et G. Niobey; avec le concours de H. Bonnard, L. Casati, J.-P. Colin et A. Lerond

Un dictionnaire unique parce qu'il réunit :
• la description la plus complète du vocabulaire général, scientifique et technique, classique et littéraire, avec prononciation, syntaxe et remarques grammaticales, étymologie et datations, définitions avec exemples et citations, synonymes, contraires, etc.;
• la documentation la plus riche sur la grammaire et la linguistique : près de 200 articles (à leur ordre alphabétique) donnant une analyse détaillée des diverses théories, passées ou actuelles, sur les principaux concepts grammaticaux et linguistiques;
• un traité de lexicologie exposant les principes de la formation des mots et la construction des unités lexicales.

7 volumes reliés (21 × 27 cm).

*GRAND DICTIONNAIRE ENCYCLOPÉDIQUE
10 volumes en couleurs

Avec le G.D.E., vous êtes à bonne école : fondamentalement nouveau et d'une richesse unique, cet ouvrage permet à chacun d'approcher et de comprendre toutes les connaissances et les formes d'expression du monde actuel qui, en moins d'une génération, se sont complètement transformées.

Il est à la fois :

dictionnaire pratique de la langue française
Il définit environ 100 000 mots de vocabulaire et indique la façon de s'en servir, en rendant compte de l'évolution rapide de la langue, il constitue une aide à s'exprimer, un outil de vérification constant par ses explications;

dictionnaire des noms propres
Avec plus de 80 000 noms de lieux, personnes, institutions, œuvres, il rassemble une information considérable sur la géographie, l'histoire, les sociétés, les faits de culture et de civilisation du monde entier, à toutes les époques, en fonction des sources de connaissance les plus récentes et les plus sûres;

dictionnaire encyclopédique
Il présente et éclaire les réalités associées au sens des mots. Ainsi, il renseigne sur les activités humaines, sur les idées, sur le monde physique et tout ce qui participe à l'univers qui nous entoure. Dans toutes les disciplines, les informations encyclopédiques expliquent le domaine propre à chacun des sens techniques, en fonction des progrès de la recherche et des modifications des vocabulaires scientifiques;

... et documentation visuelle
L'illustration, abondante et variée, est essentiellement en couleurs : dessins et schémas, photographies, cartographie, adaptés à chaque sujet. Elle apporte une précision et un éclairage complémentaires à ce grand déploiement du savoir-exploration.

10 volumes reliés (19 x 28 cm), plus de 180 000 articles, environ 25 000 illustrations. Bibliographie.